SOLEIL DE MORT

PIERRE BARBET

SOLEIL DE MORT

FLEUVE NOIR

ANTICIPATION

© 1990 Éditions Fleuve Noir.

ISBN 2-265-04332-X
ISSN 0768-3014

CHAPITRE PREMIER

Denis Roussel, biologiste de Sanofi spécialisé en zoologie, contemplait mélancoliquement le paysage désolé entourant les laboratoires de Sophia Antipolis. D'un geste machinal, il caressait la monture de ses lunettes miroirs réfléchissant à 100 % les ultra-violets. Beaucoup de pauvres bougres, faute de cette protection, étaient devenus aveugles, crevant comme des rats dans leur trou.

Par l'étroite meurtrière découpée dans les volets de fer, il apercevait les troncs dénudés, les myrtes desséchés, l'herbe jaunie entourant les bâtiments du centre de recherche. Au loin, des volutes de fumée s'élevaient dans le ciel : un incendie ravageait les pinèdes sur la route de Grasse ; l'odeur aromatique des conifères brûlés évoquait les anciens barbecues, lui mettant l'eau à la bouche.

Jadis, une verte forêt de pins entourait la ville d'Antibes ; sous ses ombrages, le samedi, on jouait à la pétanque. Maintenant, la fournaise diurne rendait pénible toute sortie : plus de cinquante degrés...

La catastrophe avait commencé en 1988 : en juillet, les astronomes avaient observé de vastes taches solaires, signe d'une augmentation de l'activité de l'astre. Ce phénomène se produisait tous les onze ans, et son maximum aurait dû se situer en 1991, aussi les augures avaient-ils parlé d'une manifestation passagère. Effectivement, le calme était revenu. Mais pour peu de temps : trois ans plus tard, lors de la période d'activité maximale, éruptions et taches avaient battu tous les records, perturbant les liaisons radio, provoquant de merveilleuses aurores boréales jusqu'en France. Et depuis trente-deux ans, le soleil, défiant pronostics et théories, n'avait cessé d'accroître son irradiation.

Lors des éclipses par la lune, un mince tore demeurait lumineux, comme à Rome en 1567, époque où le diamètre de l'étoile était plus grand. Le corps céleste enflait sans que l'on sache quand il s'arrêterait. Seule certitude, il ne se transformerait pas en nova ; l'apocalypse n'était pas pour demain...

Hélas, l'effet de serre provoqué par le gaz carbonique provenant des combustibles fossiles brûlés sans ménagements avait aggravé la situation : à lui seul il avait provoqué une élévation de la température de quatre degrés.

Et puis, comme un malheur n'arrive jamais seul, les perturbations de la couche d'ozone s'étaient étendues, à partir de 1985, à l'ensemble du globe terrestre.

Les fluorocarbones servant de pulsants aux aérosols et les oxydes d'azote provenant des engrais se partageaient cette lourde responsabilité. Les ultra-violets naguère peu nocifs, qui n'étaient plus arrêtés, avaient progressivement anéanti la faune et la flore.

Désormais, plus question de se promener sans vêtements protecteurs et lunettes filtrantes sous peine de cécité ou de cancers cutanés. Le cycle ancestral s'était inversé, l'activité humaine était devenue nocturne, mais au prix de sérieux troubles psychosomatiques et d'un cataclysme économique.

Au moins, sur la Côte d'Azur, on ne manquait pas d'eau : les pluies avaient plutôt augmenté, le lac de Saint-Cassien, Var et les torrents dévalant du Mercantour fournissaient le précieux liquide en abondance ; et puis il n'y avait plus de piscines à alimenter, ni de jardins à arroser. Tout le monde n'avait pas autant de chance.

Une main fraîche se posa sur le front du chercheur, tandis qu'une voix douce demandait :

— Des ennuis, chéri ?

Denis se retourna. Devant lui, Myriam, resplendissante avec son clair visage, ses lèvres pulpeuses, le lourd chignon rassemblant ses cheveux bruns, souriait.

La vie avait encore du bon ! Il ôta ses lunettes.

— Non, rien de particulier ! Je ruminais nos problèmes... Je suis bien content de te voir si belle...

Myriam Flamel, brillante biologiste elle aussi, se consacrait à la botanique.

— C'est vrai que le paysage n'a rien de folichon, même si on aperçoit la mer. Enfin, pour te consoler, dis-toi que nous aurions pu la voir de beaucoup plus près...

— Certes ! Je n'ose imaginer ce que nous serions devenus si nous nous étions trouvés en Hollande, par exemple, ou à New York...

— Nous aurions donc tort de nous plaindre... Mais dis-moi, as-tu des nouvelles de Jacques et des argyronautes ?

— Non, et cela m'inquiète : pourvu que l'enveloppe de leur poche d'air ne se soit pas déchirée...

— Rien à craindre, elle a été tissée avec la substance qui compose le byssus des moules ; c'est du solide ! Non, moi, je crains plutôt que son équipe n'ait eu maille à partir avec la bande à Jo. C'est le plus redoutable de tous ces pillards !

9

— L'homme est vraiment toujours un loup pour l'homme ! Ces imbéciles ne peuvent-ils pas comprendre que nos travaux représentent la dernière chance de l'humanité ? Nous arriverons peut-être à la tirer de ce mauvais pas, seulement il faudrait qu'on nous foute la paix !

— Mon doux rêveur, je partage entièrement ton point de vue, mais tu oublies un peu dans quel monde tu vis : la civilisation est pour ainsi dire morte ; on ne peut plus rien cultiver parce que les ultra-violets brûlent tout et il est également impossible d'élever des bêtes car il ne reste pas de quoi les nourrir. Bien sûr, les survivants se conduisent comme des fauves et ne connaissent que la loi du plus fort. Mais que pourraient-ils faire d'autre ?

— C'est vrai. Les pouvoirs publics ont gravement manqué à leurs devoirs en ne faisant pas appel à l'armée pour rétablir l'ordre et...

— Denis, ouvre les yeux : si les gendarmes d'Antibes ne s'étaient pas installés ici, nos laboratoires seraient détruits depuis longtemps !

— Je sais, je sais... La situation s'est tellement dégradée... Tant qu'il y avait des stocks alimentaires, le pouvoir conservait un semblant d'autorité et les gens se berçaient d'illusions. Mais maintenant, c'est la famine partout. Alors, bien sûr... Nous-mêmes, sans l'apport des fermes sous-marines, nous en serions réduits à nous entre-tuer pour quelques boîtes de conserve !

— Enfin, ça y est, tu réalises la situation ! Tu devrais en parler avec le capitaine Duval. J'ai discuté avec lui. Si nous ne fortifions pas le secteur et si nous ne parvenons pas à nous procurer des armes lourdes, il est à craindre que nous ne soyons bientôt massacrés...

— Bah ! Tous ces chacals se battent entre eux : la bande à Mac contre celle à Jo, elle-même contre celle du

10

gros Lucien. Jamais ils ne s'allieront pour effectuer une attaque groupée !

— Eh bien, tu te trompes. Selon Duval, les chefs se rendent bien compte que l'union constitue leur dernière chance de survie. D'après un prisonnier, des pourparlers auraient même déjà eu lieu.

— Seraient-ils moins stupides que je ne le croyais ?

— Depuis cinq ans que ça dure, les réserves sont pratiquement épuisées : le seul moyen de manger, c'est de produire sa nourriture. C'est ce que nous faisons, mais eux ne le peuvent pas...

— Il paraît qu'ils bouffent leurs captifs et qu'ils pourchassent les larves humaines qui infestent encore les sous-sols des maisons !

— Le gibier leur manquera bientôt. Crois-moi, Denis, ils ne tarderont pas à se rabattre sur nos exploitations sous-marines. Et tu sais comme moi que nos recherches sur des plantes à cultiver comme autrefois, en plein soleil, n'ont pas encore abouti.

— Selon toi, les pillards vont s'attaquer aux champignonnières et aux fermes à poissons...

— Oui. C'est pourquoi il devient urgent de demander des renforts aux militaires du camp de Canjuer. Quelques hélicoptères et automitrailleuses suffiront à les protéger, alors que sans eux, nous ne survivrons pas assez longtemps pour mettre au point nos nouvelles espèces résistantes aux U.V.

— Tu as raison : il faut assurer la priorité à nos centres de production alimentaire... La nuit ne va pas tarder, je file retrouver Duval : nous pourrons peut-être faire quelque chose.

Le biologiste laissa donc sa compagne pour monter au troisième étage, surmonté d'une tour de guet en bois,

11

d'où les gendarmes observaient les alentours. Des brasiers entretenus toute la nuit permettaient de surveiller les terrains en friche et, en cas d'urgence, on allumait les projecteurs alimentés en électricité par des générateurs à essence.

Le capitaine était attablé devant un superbe loup grillé entouré de champignons.

— Quel bon vent vous amène ? Voulez-vous goûter la cuisine de ma femme ?

— Un autre jour. Mais je vous en prie, ne laissez pas votre dîner refroidir.

— Entendu. Parlez, je vous écoute... (Ce disant, Duval souleva un filet qu'il déposa dans son assiette en soupirant :) Quelle pitié qu'il n'y ait plus ni fenouil, ni basilic ! Germaine a fini le dernier pot d'herbes de Provence...

— Précisément, c'est un problème d'intendance qui m'amène. Myriam s'affole, elle nous voit déjà attaqués par une coalition de malfrats !

— Pour sûr : ils sont tous à court de vivres. Jo a longtemps vécu sur les magasins de Cap 3000 et Mac grâce aux stocks du Carrefour près de l'autoroute, seulement maintenant, c'est fini ; il faut qu'ils trouvent autre chose.

— Ces salopards s'en prendraient donc à nos réalisations, et d'abord aux fermes à poissons situées entre les deux îles.

— Té, pardine ! J'ai établi un poste de guet dans l'ancienne abbaye de Saint-Honorat. De là, par clair de lune on repérera facilement les voiles des bateaux qu'ils utiliseront au départ de Golfe-Juan... Vraiment, vous n'en voulez pas un filet ?

— Non, merci, j'ai déjà soupé !

— Bien sûr, les jours de brume ou de pluie, il sera

12

plus difficile de les voir. Heureusement, ces types n'ont aucun entraînement de plongeurs : ils hésiteront à descendre sans cylindres d'air à quarante mètres de profondeur.

— Et s'ils ont pris des équipements dans des magasins ?

— Dans ce cas, leurs torches électriques seront visibles de loin.

— Vos effectifs des îles sont-ils suffisants ?

— Tant qu'ils restent retranchés derrière les murailles de l'abbaye, rien à craindre : c'est une véritable forteresse. Par contre, dans la flotte, mes dix gars seraient vite liquidés.

— Peuvent-ils demander des renforts ?

— Evidemment : ils ont encore des émetteurs portatifs en état de marche. Seulement, réfléchissez : pour aller au port en moto, dix minutes ; ensuite, un quart d'heure de voile ; donc en gros, une demi-heure au total. Vous pensez bien qu'ils seraient tous morts à notre arrivée !

Là-dessus, le capitaine but avec recueillement une gorgé d'un précieux rouge de Provence dont il ne restait guère qu'une douzaine de bouteilles.

Le biologiste soupira.

— Je voudrais justement me rendre sur place cette nuit pour juger de l'efficacité de vos gars. Supposez en effet que la bande à Jo investisse d'abord le monastère et massacre vos collègues pendant leur sommeil...

— Ma foi, ce n'est pas une mauvaise idée ! Je vais vous accompagner avec une dizaine d'hommes et nous en profiterons pour amener au mouillage entre les deux îles une vedette des douanes armée d'une mitrailleuse : elle couvrira nos arrières.

— Parfait ! A quelle heure partons-nous ?

— Il fera nuit dans une heure, rendez-vous au parking à ce moment-là.

— D'accord !

— A propos de Myriam, vous a-t-elle aussi parlé de mes projets ?

— Au sujet de Canjuer ?

— Oui. Je suis entré en contact radio avec un lieutenant qui commande les vingt survivants du camp militaire. Il serait tout disposé à se joindre à nous pourvu qu'on leur donne à bouffer. Il amènerait deux automitrailleuses qui seraient les bienvenues, et un hélicoptère encore en état de marche. Bien sûr, ils formeraient un convoi pour protéger les camions-citernes. Pourriez-vous nourrir une vingtaine de personnes de plus ?

— Pas de miracles ! Il faudra se serrer la ceinture.

— Et sans indiscrétion, où en sont vos expériences ?

— Myriam a obtenu d'excellents résultats avec des végétaux génétiquement modifiés dont les chloroplastes utilisent les U.V. pour la photosynthèse.

— Quand lancerez-vous leur culture en grand ?

— Il est toujours délicat de passer du stade expérimental à la production en masse. Toutefois, elle espère pouvoir ensemencer plusieurs champs dans deux mois, trois au maximum. Seulement il faudra les surveiller de près : pas question de laisser des salopards les saccager.

— Fichtre non ! Les types de Canjuer nous seront précieux pour ça ! Et en ce qui nous concerne ?

— Il n'y a malheureusement pas grand-chose à espérer : les crèmes nous protégeront, mais nous ne pourrons jamais rester longtemps exposés au soleil.

— Alors, nous sommes condamnés à vivre en troglodytes.

— Hélas, oui. Pour nos enfants, par contre, tous les espoirs sont permis.

— Té, c'est pas évident. Pourquoi ça?

— Savez-vous ce qu'est un transgène?

— J'en ai vaguement entendu parler. C'est une espèce de mutant...

— En gros, oui! On prend des gamètes dont on modifie le patrimoine génétique. Après fécondation, l'embryon est implanté dans une mère porteuse. Les bébés obtenus sont dotés de nouveaux caractères. On a beaucoup utilisé cette méthode pour améliorer la productivité laitière des vaches, mais elle était interdite sur la race humaine. Seulement vu la situation, je me fiche bien de ces principes idiots!

— Vous croyez que vous arriverez à créer des hommes qui pourront vivre normalement à l'extérieur, comme avant? s'étonna le gendarme.

— Je ne crois pas: je suis sûr! Et nous donnerons à d'autres le système respiratoire des dauphins: ils vivront dans la mer, à l'abri des U.V.

— Mais dehors, à l'air libre?

— Nous avons deux grands problèmes: l'apparition de cancers cutanés et la diminution de nos capacités immunitaires. Le premier surtout a été difficile à résoudre, quant à la stimulation de nos défenses, elle est au point depuis longtemps.

— Mais enfin, comment avez-vous fait?

— Pour la peau, nous avons envisagé deux solutions: lui faire synthétiser soit une « super-mélanine », soit une substance comme le bergaptène. Nous avons réussi à isoler les codes génétiques dirigeant l'élaboration de ces deux produits et à transmettre le premier à deux bébés. Ils n'ont eu aucun problème au soleil.

— Et leurs yeux?

— Nous avons « recopié » les particularités oculaire des gerboises du désert africain; il y en avait au zoo de Fréjus.

— C'est extraordinaire !

— Oui, tout a magnifiquement marché : nos petits transgènes se portent comme des charmes, bien qu'ils vivent en plein air ainsi que nous le faisions jadis. L'irradiation subie est pour eux parfaitement inoffensive.

— Les descendants de ces nouveaux Adam et Eve nous succéderont donc sur cette bonne vieille Terre. Et grâce à vous, ils auront même de la nourriture en abondance, puisque des plantes pousseront à nouveau.

— Certainement ! Du moins, si des hordes sauvages ne nous massacrent pas tous !

Un planton entra à ce moment, pour remettre à son chef un papier qu'il parcourut rapidement.

— Eh bien, je vous garantis que nous ferons tout pour vous protéger, vous et vos inestimables transgènes, puisque tel est leur nom. Voici précisément un message radio réconfortant : j'avais appelé le camp d'infanterie de marine du colonel Lecoq, près de Fréjus, afin de signaler l'importance de vos travaux et de demander des renforts. Chez eux, rien à espérer : ils viennent d'épuiser leurs stocks alimentaires. Une vingtaine d'hommes à bord de blindés légers de reconnaissance font donc mouvement vers nous ; ils arriveront ce soir vers vingt et une heures en suivant la route littorale.

— Tant mieux : en cas de grabuge aux fermes sous-marines, ils nous prêteront main-forte.

— Sauf s'ils prennent du retard. Après l'Estérel, la nationale est inondée à partir de Mandelieu ; ils vont devoir suivre l'autoroute, où certains viaducs sont détruits. Vous voyez que ce n'est pas un trajet de tout repos... Excusez-moi un instant...

Resté seul, Denis se servit un verre de vin et laissa vagabonder son esprit.

16

Depuis l'an 2000, les eaux avaient envahi nombre de régions côtières, provoquant des catastrophes dans les pays plats comme la Hollande ou le Bangladesh. Toute la population du delta du Gange avait dû s'exiler ; ports et voies ferrées avaient été submergés, et d'innombrables fuyards avaient péri le long des routes, même avant le début de la grande famine. Quoi d'étonnant à cela ? Près d'un tiers de l'humanité vivait au bord de la mer et, dans son inconscience, elle déversait chaque année dans l'atmosphère vingt tonnes de gaz carbonique !

En outre, la forêt tropicale qui absorbait ce gaz avait été détruite, brûlée pour construire des routes, emblaver des terres cultivables : l'homme s'avérait vraiment le plus nuisible des animaux, capable, sans même utiliser les mégatonnes accumulées, de ravager l'écologie planétaire...

Et cela continuait : les survivants faisaient tous partie de bandes organisées ; en face d'eux, les rescapés de l'ancien gouvernement, protégés par l'armée, réfugiés sur le plateau d'Albion ou dans l'abri de Taverny prévu comme P.C. en cas d'attaque nucléaire. Là se terraient le président de la République et ses ministres. Mesquins et bornés, ces fantoches monopolisaient les maigres stocks alimentaires, se réservant farouchement l'abattage du bétail restant et l'accès aux champignonnières.

Aucun dynamisme, aucune cohérence, aucune planification de la recherche scientifique...

Et pourtant, puisque l'*homo sapiens* s'avérait incapable de survivre, puisque la majorité des plantes et des animaux avaient disparu, il fallait bien en créer d'autres, capables de s'adapter aux conditions nouvelles !

Denis était fier de lui, de son équipe, de Myriam, qui avaient obtenu des résultats sensationnels dans des conditions difficiles! Car, sauf nouvelle catastrophe, la partie semblait gagnée : les deux bébés s'ébattaient en plein jour dans le solarium de Sophia Antipolis. Et leurs enfants cultiveraient des espèces résistantes de végétaux pour assurer leur subsistance, comme naguère leurs ancêtres.

Mais pour qu'on puisse en arriver là, il fallait protéger les précieux laboratoires, et les élevages de poissons indispensables à leur survie immédiate.

Lui, en tant que chercheur, ne désirait pas perdre son temps à s'occuper de ces choses : c'était l'affaire de Georges Duval, qui était chargé de la défense.

Or, le militaire était un garçon très capable mais dépourvu d'esprit d'initiative : sachant l'importance de la petite colonie pour la survie future de l'humanité, n'aurait-il pas dû réclamer plus tôt des renforts, comme Myriam l'avait suggéré à plusieurs reprises?

Heureux les colons des bases lunaires et martiennes! Leurs serres avaient été installées avant la désorganisation de la société terrienne, et ils disposaient d'espèces animales et végétales maintenant disparues sur Terre. Ils n'avaient pas, non plus, à se soucier des bandes de pillards...

Plus il réfléchissait, plus Denis s'effrayait du poids de ses responsabilités. Et si son équipe était la seule à avoir mené à bien ces recherches? Jamais il n'avait parlé de ses expériences par radio, lorsqu'il se trouvait en contact avec les autorités de Paris, car il redoutait leur ingérence. Rien, dans les informations reçues d'Amérique au caprice des ondes courtes, ne laissait supposer qu'il y ait là-bas des scientifiques œuvrant dans la même voie que lui. Pas plus d'ailleurs qu'en U.R.S.S. Alors? Ces deux bébés représentaient-ils l'avenir? Si tel était le cas, ils étaient le plus précieux trésor du monde, qu'il fallait protéger de toutes les manières possibles. Hélas, dans le Sud, les moyens s'avéraient réduits...

La solution serait sans doute de se rendre à Marseille et à Montpellier, pour savoir si des chercheurs étaient parvenus à créer des transgènes et des végétaux aptes à survivre. Peut-être même faudrait-il monter jusqu'à Lyon ou Paris, en espérant que leurs biologistes ne soient pas gardés au secret.

Mais le brave capitaine Duval, tout dévoué qu'il fût, ne serait pas à la hauteur d'une pareille tâche ! Bien que cela ne lui plût guère, il faudrait que ce soit lui, Denis, qui prenne l'affaire en main...

Duval revint sur ces entrefaites.

— Excusez-moi de vous avoir fait attendre, déclara-t-il, mais ils étaient déjà partis et leurs radios ne marchent pas trop bien. La colonne se trouve sur la route côtière de l'Estérel. Heureusement, le lieutenant Henry, qui la commande, connaît bien le secteur : il m'a assuré qu'il n'y aurait pas de problèmes.

— Très bien. Qu'ils laissent les blindés ici pour que les labos ne risquent rien et qu'ils envoient une dizaine d'hommes vers la ferme à poissons.

— Un de mes gars les accompagnera pour les guider.

— Qu'il leur dise bien que nos installations sont situées dans le chenal entre l'île Sainte-Marguerite et la côte. L'île Saint-Honorat est pratiquement submergée...

— Ils doivent s'en douter, mais je l'ajoute sur mes instructions... (Il griffonna sur une feuille de papier, puis reprit :) Quand vous voudrez. L'escouade est prête à partir.

— Et ceux de Canjuer ? Pas de nouvelles ?

— Non, aucune depuis tout à l'heure ; on essaiera de les contacter demain.

— Entendu ! Allons-y...

La nuit tombait, mais le clair-obscur du crépuscule permettait de se déplacer sans phares ni torches électriques. Les gendarmes, en tenue de combat, se tenaient près des quatre jeeps dont deux étaient armées de mitrailleuses.

Myriam tout essoufflée, vint embrasser Denis.

— Surtout, sois prudent, lui recommanda-t-elle. Ne prends pas de risques idiots ; tu es trop précieux, personne ici ne pourrait te remplacer pour diriger nos recherches.

— D'accord! Je ferai attention. Mais de toute manière, il faudra s'y habituer : nous ne resterons pas éternellement ici...

— Que veux-tu dire ?

— Simplement que nos transgènes doivent disposer d'une meilleure protection. Enfin, je t'expliquerai plus tard...

Les moteurs tournaient et les hommes, embarqués, attendaient leur chef.

— Vous venez ? demanda-t-il à Denis.

— Je suis prêt...

Il déposa un dernier baiser sur les lèvres de sa compagne et s'installa à côté d'un brigadier qu'il connaissait bien : Gérard, un garçon d'une terrifiante habileté au pistolet.

Le petit convoi roula à bonne allure, jusqu'au pont passant sous l'autoroute situé à l'entrée d'Antibes : un endroit rêvé pour une embuscade, aussi Duval envoyat-il sur le talus deux gendarmes, mitraillette au poing, qui inspectèrent les alentours.

Au mois de juillet, on entendait naguère, à cette heure, le crissement des cigales juchées sur les pins et les chênes-lièges. A présent il ne restait que des troncs aux branches dénudées, prêtes à flamber à la première occasion. Du moins cette absence de broussailles permettait-elle de voir nettement le sol des bois et le revêtement des routes après le rond-point ; n'ayant rien aperçu de suspect, les deux hommes revinrent annoncer que la voie se trouvait libre.

Les jeeps repartirent donc sur le ruban d'asphalte défoncé longeant l'autoroute. Au-dessus, sur la droite, béait un entrepôt dévasté, pillé de fond en comble parce qu'il avait contenu de l'outillage à présent introuvable. Plus loin, après un second rond-point, un grand magasin avait recelé d'importantes quantités de conserves, et les garages parsemés le long de la route vers Antibes avaient fourni des pièces détachées et de l'essence. Partout, il ne restait que des murs nus et quelques morceaux de ferraille. Les pillards étaient passés par là...

La route les emmenait maintenant vers la R.N.7 ; ils tournèrent à droite vers Golfe-Juan et Cannes : si la voie littorale se trouvait submergée, la nationale serpentait au-dessus du niveau des flots.

La lune, à son premier quartier, éclairait suffisamment pour dispenser les voyageurs d'allumer leurs phares : repérables de loin, ils auraient donné l'alerte.

Le convoi ne rencontra aucun autre véhicule : les rares automobiles maintenues en état de marche en cannibalisant les autres restaient au garage, faute de carburant. Les gendarmes, d'ailleurs, utilisaient le leur avec parcimonie, coupant le contact dans les descentes.

Le chemin de fer marquait la limite des eaux à la pointe où le casino de Palm Beach gisait sous quelques mètres d'eau.

Les guetteurs logeaient dans un castel mauresque, dont le minaret servait d'observatoire. D'ailleurs, ils ronflaient déjà à l'arrivée de leurs collègues et n'avaient rien aperçu d'anormal.

21

— Vraiment désolant ! De la manière dont ces imbéciles avaient relâché leur surveillance, ils ne risquaient pas de voir quoi que ce soit ! grommela le capitaine, après avoir passé aux fautifs un bon savon, afin de les inciter à plus de vigilance.

Denis et lui grimpèrent au sommet de la tour pour observer à la jumelle le détroit qui séparait la côte des falaises de l'île Sainte-Marguerite, sur lesquelles se dressait toujours la forteresse ayant servi de prison au maréchal Bazaine après la défaite de 1871. Contrairement au fort Carré d'Antibes, occupé par des malfrats de la bande à Jo qui y entassaient leur harem, le bastion de l'île était tenu par six gendarmes. Ceux-ci étaient chargés de protéger les huit spécialistes qui chouchoutaient la ferme à poissons située sur les hauts-fonds proches de la côte.

De l'île Saint-Honorat, par contre il ne restait pas grand-chose : l'eau avait submergé les restaurants, et les troncs des eucalyptus morts se dressaient comme les croix d'un cimetière. Seuls le clocher de la chapelle et la tour carrée de l'ancienne abbaye émergeaient encore. Ce monastère abritait également des militaires.

— A première vue, rien d'anormal..., constata Duval.

— Espérons que nous pourrons renforcer à temps la garnison, grommela Denis.

— Préparez les embarcations !

Les hommes s'affairèrent, tirant sous le ponceau du chemin de fer les peu glorieux pédalos qui leur serviraient à traverser les quelques centaines de mètres les séparant de leur but. Ils disposaient aussi de voiliers, récupérés dans le port de Golfe-Juan, mais les réservaient aux traversées plus importantes. D'ailleurs, dans le clair de lune, les voiles blanches auraient vite été repérées.

22

— Toujours rien à la radio? demanda Duval avant d'embarquer.

— Non, chef!

— Allons-y! Armez vos pistolets et les mitraillettes.

Le claquement des sécurités résonna, et les légers esquifs repoussés par des gaffes s'éloignèrent des berges.

Tous se mirent à pédaler en silence, les yeux braqués sur les hautes murailles du fort de Sainte-Marguerite, où se trouvait le principal poste de surveillance.

Duval, qui faisait équipe avec Denis, grogna :

— Pas normal, ça, ils devraient nous avoir repérés! Il leur est arrivé quelque chose…

— Bah! Ne vous faites pas de mouron : ils roupillent sans doute comme les autres, plaisanta son compagnon.

— Dans ce cas, ils se souviendront de ma visite! N'importe qui peut débarquer sur l'île et les surprendre…

— Je dois reconnaître que les pillards n'auraient pas de mal à atteindre les buissons qui bordent le rivage, et de là, à gagner le pied des murailles. Seulement, ils devraient encore escalader les remparts, qui sont assez élevés.

— En accrochant un bon grappin, ils y arriveraient facilement. Et si ces imbéciles dorment, ils n'entendront rien!

— Espérons que vous vous trompez…

Les pédalos arrivèrent bientôt au pied du bâtiment abritant les anciennes cellules des prisonniers. La mer déferlait maintenant à sa base. Les lourds barreaux des étroites fenêtres empêchaient quiconque de pénétrer dans la place par ce côté.

Les gendarmes prirent pied directement devant le chemin qui sinuait jusqu'à l'entrée du fort.

L'un d'entre eux resta là pour garder les embarcations ; les autres, arme au poing, se dirigèrent vers le portail massif de l'entrée.

— Merde, c'est ouvert ! constata le capitaine.

— Même s'ils dormaient, ils auraient pris la précaution de les fermer pour la nuit...

— En deux colonnes, à droite et à gauche le long des murs ; deux hommes sur le haut du porche d'entrée ! ordonna Duval.

Ses subordonnés obéirent comme à la parade.

Parvenus au sommet de la muraille, les deux plus en avant signalèrent du bras qu'ils n'apercevaient rien d'anormal.

Leurs collègues poursuivirent donc leur progression jusqu'à la cour intérieure, fleurant bon le feu de bois d'eucalyptus qui servait à la garnison pour faire sa cuisine.

Le barbecue existait toujours, mais ses cendres, en dessous des grilles, étaient froides.

— Personne sur les toits, ni sur le chemin de ronde, constata Duval. Inspectez les bâtisses, la prison en dernier.

Tous se dispersèrent, poussant du pied les portes des maisonnettes à toits de tuiles puis éclairant l'intérieur avec leurs torches électriques.

Duval, lui, se réserva la plus grande chambrée ; déserte, elle aussi. Pourtant, les lits s'y trouvaient défaits, un désordre peu réglementaire y régnait, tout ayant été jeté à terre et fouillé, et un bric-à-brac sans intérêt pour les pillards gisait sur le carrelage.

— Quelque chose les a alertés et ils ont eu le temps de sortir, constata le gendarme. Allons voir le bâtiment principal : c'est le plus facile à défendre...

Ils passaient dans la cour, quand l'une des sentinelles appela :

24

— Capitaine, il y a des corps en bas, dans les broussailles.
— Allez voir et revenez me rendre compte.
Quelques instants passèrent, puis un brigadier franchit
le porche, tirant un cadavre par les pieds...

CHAPITRE II

Le capitaine éclaira la tête du mort avec sa torche :
— C'est ce pauvre Dupuis, mais que lui est-il arrivé ? Je ne vois pas trace de balle...
— Non, il a une flèche dans la nuque ! déclara le gendarme qui l'avait amené.
— Il devait être de garde et s'est fait surprendre par-derrière, ce qui explique que l'alerte n'ait pas été donnée à temps.
— J'ai vu un autre corps de l'autre côté, sur les rochers à la base des remparts. On n'a pas encore pu le récupérer, à cause de la flotte.
— Essayez de descendre avec des cordes. Mais faites attention.
— Entendu, mon capitaine !
Duval et son compagnon se dirigèrent vers la prison, dont ils poussèrent la porte d'entrée. Aussitôt, ils remarquèrent des impacts de balles sur les murs ; par terre, des douilles vides indiquaient qu'il y avait eu un combat sérieux.
D'ailleurs, ils ne tardèrent pas à apercevoir la première victime, à l'angle du corridor menant aux cellules, recroquevillée, face contre terre. Duval la retourna du pied.

— Un de ces salauds, constata-t-il.

— En voici deux autres, fit Denis, qui avait jeté un coup d'œil dans le couloir.

— Trois ordures de moins...

— Regardez leurs visages et leurs mains: ils ne les protégeaient pas du soleil, ils sont rongés jusqu'à l'os!

Effectivement, des plaques noirâtres, purulentes et sanguinolentes, maculaient la peau des cadavres.

— De toute façon, ils n'auraient pas fait long feu, ajouta le biologiste. Si leurs petits copains ne sont pas en meilleur état, ils ne nous ennuieront plus très longtemps!

— Ces fils de putes ont fait de sacrés dégâts! C'est une véritable boucherie! s'exclama le capitaine, en désignant l'intérieur d'une cellule dont l'épais battant était resté entrebâillé.

Denis s'avança; des gendarmes en treillis kaki gisaient sur les dalles, déchiquetés.

— Les malheureux ont certainement cru qu'ils seraient à l'abri derrière une porte pareille. Seulement les salauds ont réussi à balancer des grenades par le guichet.

Effectivement, les ventres aux entrailles pendantes, les faces mutilées, les poitrines défoncées indiquaient que les assaillants avaient mis le paquet et lancé plusieurs projectiles.

— Et en plus, reprit Duval en montrant le cou d'un des morts, ils les ont achevés au couteau en les saignant comme des porcs. Ah! si jamais il m'en tombe un entre les mains...

Le biologiste soupira:

— Evidemment. La perspective de crever de faim ou bouffé par la maladie les pousse à se conduire comme des bêtes. Leur repaire doit être un monstrueux mouroir.

28

— Tant mieux! Je ne les plains pas! Des types pareils, on devrait les écorcher vifs...

Furieux, le capitaine sortit à grands pas. Au-dehors, un brigadier l'attendait.

— Pas d'autres victimes. Les stocks ont été pillés, toutes les armes et munitions emportées.

— Pardi! Prenez deux hommes et sortez les dépouilles de vos camarades qui sont dans la prison. Faites creuser cinq tombes dans la cour.

— A vos ordres...

— Maintenant, si nous allions jeter un coup d'œil à la ferme à poissons? Peut-être se sont-ils contentés de ce qu'ils ont volé ici, suggéra Denis.

— M'étonnerait! En général, des canailles de ce genre saccagent tout ce qui leur tombe sous la main. Leconte, Ramade, venez avec nous... En cas de pépin, fusée rouge!

Deux gendarmes quittèrent ceux qui s'échinaient déjà sur le sol rocailleux. Tous quatre revinrent aux pédalos.

— Du dégât? s'enquit la sentinelle.

— Tous tués à la grenade, sauf les gardes, qui ont écopé d'une flèche dans la nuque. Alors, un conseil: ne roupillez pas!

L'autre jeta des regards inquiets derrière lui, comme s'il s'attendait à recevoir un projectile d'un instant à l'autre. Cependant, les deux esquifs s'éloignaient du rivage pour faire le tour de Sainte-Marguerite — il n'en restait pas grand-chose — et se dirigeaient vers le couvent de Saint-Honorat.

Duval tenait son revolver à la main et scrutait les alentours. Dans le friselis argenté des vaguelettes éclairées par la lune, les premières bouées signalant les cuves de l'un des élevages de poissons apparurent. Aussitôt, le biologiste se rendit compte que quelque chose clochait:

au lieu de se trouver bien alignés, les cônes de plastique jaune dansaient en zigzag.

— Crénom! Ils sont venus! jura-t-il.

Le premier bac contenait des alevins ; les suivants, des poissons de plus en plus vieux. Périodiquement, les responsables relevaient les filets se trouvant au fond des réceptacles et opéraient le transfert en suivant une progression régulière de bac en bac. Dans le dernier se trouvaient les plus belles pièces, destinées à la table.

Les résilles des premiers bacs avaient été relevées et laissées en place, si bien que leur contenu frétillait au ras de l'eau. Quelques spécimens, néanmoins, flottaient le ventre en l'air. Le scientifique s'empressa de redescendre les survivants. Par contre, le dernier bassin, celui des poissons parvenus au terme de leur croissance, était quasiment vide et son filet avait été lacéré à coups de couteau.

— Les canailles! grommela Denis, presque aussi affecté par la destruction gratuite de ses précieuses installations que par l'assassinat des gendarmes. Il faudra un bon mois pour que les jeunes puissent être pêchés. En attendant, nous devrons nous serrer la ceinture.

— Voilà qui tombe mal, surtout avec les renforts qui arrivent : il y aura de nouvelles bouches à nourrir...

— Pourquoi ne pas monter une expédition punitive contre une de ces bandes de salopards ? Le fort Carré par exemple..., suggéra Denis.

— Comptez sur moi, surtout si nous disposons d'effectifs plus importants et de quelques véhicules blindés. Mais en attendant, il faut visiter la tour du couvent. Vous ne redescendez pas les poissons ?

— Non : comme la résille est déchirée, nous devrons la remplacer, et les daurades resteraient coincées dessous : autant emporter celles qui restent.

— D'accord !

Ils récupérèrent des épuisettes qui flottaient là, abandonnées, et attrapèrent ainsi une dizaine de belles pièces. Ceci fait, ils remirent le cap sur le monastère.

Le ressac battait la base du donjon carré, et la plateforme située derrière se trouvait pratiquement au ras des flots, si bien que les esquifs abordèrent sous le vent sans difficulté.

Armes au poing, leurs quatre occupants débarquèrent et se dirigèrent vers la poterne donnant accès à la tour principale surmontée d'un chemin de ronde crénelé. Juste au pied de la muraille, gisait le cadavre d'un gendarme précipité du haut de la tour, totalement méconnaissable, le visage en bouillie, le corps désarticulé.

— Plus d'illusions à se faire, soupira le capitaine. Ils ont été surpris, comme les autres...

— Et les argyronautes ? s'inquiéta Denis. Je vais plonger, pour voir s'ils ont pu se réfugier dans la poche d'air.

— Ramade, vous vous débrouillez pas mal en plongée, prenez un masque et accompagnez M. Roussel.

— A vos ordres !

Les deux hommes se harnachèrent puis glissèrent dans les eaux tièdes : le laboratoire des argyronautes avait été installé dans l'ancien petit port, maintenant submergé, dont les quais servaient de murs. Il ne se trouvait qu'à une cinquantaine de mètres, aussi les arrivants l'atteignirent-ils rapidement.

Les bacs d'éclosion des œufs paraissaient intacts mais, lorsque la torche éclaira par-dessous la poche d'air, Denis constata que deux corps y flottaient, bras en croix.

En faisant surface, il les retourna. Il identifia sans

peine son ami Jacques et son assistant, tous deux éventrés à coups de poignard. Ils n'avaient pas été surpris, contrairement aux militaires, car leur fusil sous-marin pendait au bout d'une courroie fixée à leur main et les flèches avaient été tirées. Ramade découvrit d'ailleurs le cadavre de l'un des bandits, en costume de plongée. Il avait coulé sous le poids de ses bouteilles d'oxygène.

Les appareils n'avaient pas été détruits, sans doute à cause de la résistance des deux biologistes. Les malfrats ne s'étaient pas attardés puisqu'il n'y avait rien à manger dans cette tente sous-marine.

Denis et son compagnon ramenèrent à la tour les corps des deux victimes. Duval les attendait ; devant lui, sur la plate-forme, cinq cadavres : quatre gendarmes et l'un des assaillants.

— Eh bien, nous sommes fixés ! constata amèrement le capitaine. Ces ordures nous ont pris de court, et ces pauvres idiots ont payé cher leur manque de vigilance ! Les bacs à éclosion sont-ils démolis ?

— Non, pas de dégâts en dessous. Jacques et son copain se sont bien défendus, ils en ont tué un.

— Une consolation, l'élevage de poissons pourra se poursuivre.

— Oui, seulement cette fois, vos sentinelles devront se montrer à la hauteur...

— J'espère que la leçon portera, mais quel gâchis ! Nous allons enterrer nos morts, avant de repartir.

— C'est la première chose à faire, mais certes pas la dernière !

— C'est-à-dire ?

— Nous devons les venger ! Dès que les renforts seront arrivés, il faudra attaquer le fort Carré et liquider cette vermine !

— Telle était bien mon intention !

32

— Comprenez-moi : nos transgènes, Paul et Virginie, représentent l'espoir de l'humanité. Puisqu'ils ont besoin des installations de Sophia jusqu'à l'âge adulte, nous devons sauvegarder nos réalisations à tout prix !

— Je comprends tout à fait l'importance de ces deux enfants. Il est évident que si notre race doit survivre, ce sera à travers leurs descendants. Je ferai donc l'impossible pour qu'il ne leur arrive rien de fâcheux. De toute manière, vous serez là pour vous en assurer...

— Sans doute pas. Je travaille actuellement sur une autre modification du patrimoine génétique humain, qui devrait permettre à ses bénéficiaires de vivre sous l'eau, comme des dauphins. Mais je pense que ce sont mes assistants qui poursuivront mes travaux.

— Quoi ? Pour quelle raison ?

— Eh bien, ce massacre m'a effrayé. Or, figurez-vous qu'aucune des informations que j'ai pu obtenir par radio n'a jamais mentionné de découvertes semblables aux nôtres...

— Peut-être ont-elles été dissimulées par les chercheurs ?

— Non. J'ai envoyé des messages à diverses universités, et j'ai eu plusieurs réponses, personne n'a réussi comme moi des manipulations génétiques menant à des transgènes viables.

— Même aux Etats-Unis ?

— Non, ni en U.R.S.S. Aussi ai-je le devoir de me rendre dans d'autres villes — à Marseille, à Montpellier, à Lyon et à Paris, au moins — afin de transmettre mon savoir à d'autres laboratoires. Ainsi, en cas de catastrophe, naturelle ou due à ces bandes de fous n'ayant plus rien à perdre, des enfants pourraient naître ailleurs et maintenir le flambeau de l'humanité.

— Vous avez raison : des connaissances aussi prodigieuses doivent se propager et ne pas rester l'apanage d'un seul centre. L'enjeu est de trop grande importance. Seulement, il faudra prendre les plus grandes précautions pour vous protéger pendant ces voyages : de véritables hordes de pillards prêts à tout errent autour des grands centres.

— Je m'en remets à vous, mon cher, et d'ailleurs mon départ n'est pas pour demain...

— Je ferai de mon mieux. Toutefois, mon premier objectif est d'éliminer les rascals qui constituent encore une menace dans ce secteur. Nous aurons au moins la paix à Sophia Antipolis !...

Enfin, les tombes furent terminées. Ils se recueillirent tous quelques instants, puis le capitaine et le biologiste repartirent. Ils laissaient les deux gendarmes sur place avec pour mission de tirer sur tout ce qui ne donnerait pas le mot de passe : « pageot ». Après avoir retrouvé les autres sur l'île Sainte-Marguerite, eux rentreraient le plus vite possible et enverraient de nouveaux hommes, en garnison et à l'élevage de poissons.

Tout se déroula comme prévu, et dans le calme : les crapules avaient, elles aussi, regagné leurs quartiers.

Le convoi venu de Fréjus et celui qui arriva de Canjuer vingt-quatre heures plus tard renforcèrent considérablement les moyens du capitaine Duval. Aussi, dès que les soldats eurent pris un peu de repos et mangé — pour une fois à satiété —, il convoqua leurs chefs pour dresser un plan d'attaque. Objectif : le fort Carré, repaire de Jo et de sa bande, la plus inquiétante car la mieux retranchée.

Cette fois, Denis se rendit aux exhortations de Myriam : il ne participerait pas à l'expédition, se bornant à maintenir une liaison radio avec la colonne.

Le lieutenant Dominique Henry, de Fréjus, participa activement à la préparation du coup de main.

— Même si ces gars sont crevards, souligna-t-il, ils occupent une position défensive de tout premier ordre, et nous aurons beaucoup de mal à passer les murailles du fort si leurs sentinelles donnent l'alerte.

— En effet. Donc, pas question de lancer des grappins : le bruit du choc attirerait leur attention. Le problème consiste à prendre pied sur le chemin de ronde...

— Nous disposons d'un hélicoptère. Un commando pourrait en débarquer pour s'emparer de la porte ; le tir de l'appareil le couvrirait.

— Ouais, c'est faisable, grogna Duval. Seulement le boucan les réveillera tous, et ça bouffera du carburant. Nos réserves sont très limitées, et je préférerais les conserver pour un cas plus grave.

— Utilisons des ailes volantes, on en a quelques-unes, suggéra le brigadier.

— Leur silence nous permettrait de les surprendre, mais encore faudrait-il trouver un point assez élevé pour prendre le départ..., objecta Henry.

— Et ce n'est possible que si le vent souffle du bon côté, renchérit Duval. Bien sûr, il y aurait les terrasses des marinas...

— Ouais, seulement elles sont plutôt éloignées, et le problème du vent reste entier.

Denis intervint alors :

— Si vous voulez un moyen de transport aérien silencieux, j'ai votre affaire.

— Ah oui ? Comment ça ?

— Nous avons récupéré tout un stock de ballons-sondes à la station météo. Je pense qu'il suffirait de trois pour soulever un homme et son équipement. Reste à déterminer avec précision la direction de la brise au moment du lancement.

— Génial! constata le capitaine, admiratif.

— Oui, mais comment descendrons-nous sur l'objectif ? s'enquit le lieutenant Bloch, de Canjuer.

— Une simple soupape fixée à la base...

— Il faut procéder à un essai. Si ça marche, notre problème est résolu.

Le test effectué le lendemain fut probant : il fut seulement nécessaire d'augmenter le diamètre de la soupape, afin de permettre un atterrissage plus rapide.

Comme le soir, le vent soufflait en général du Mercantour, il serait possible de prendre le départ du sommet des marinas flottantes de Villeneuve-Loubet, dont le sommet dépassait largement de la surface des eaux. Ainsi, dans le cas où le tir venu du fort Carré crèverait ses ballons, le passager en serait quitte pour un bain forcé.

Tout fut minutieusement préparé et, par une nuit sans lune, les assaillants se rendirent à pied d'œuvre en utilisant, une fois de plus, les prosaïques pédalos.

Du haut de la tour pyramidale, on vérifia la direction du vent, qui portait bien vers l'objectif. Les ballons furent donc gonflés, tandis que le reste des forces d'assaut se préparait sur la colline, un peu après la gare d'Antibes.

Des canots à moteur avaient été préparés : le bruit importait peu, puisqu'au moment où ils parviendraient au pied de la porte du bastion, le combat aurait commencé.

Le groupe des marinas portait le nom de code « Eole » ; celui de la gare, « Neptune ».

Le point de débarquement avait été fixé au bas du majestueux monument aux morts de Bouchard, dont le poilu avait maintenant les godasses dans l'eau.

A l'heure H., soit vingt-deux heures, les ballons furent largués. Ils portaient douze hommes bien entraînés, des anciens paras dont les aïeux avaient, jadis, effectué le parcours de combattant dans le fort Carré. Un bref signal en morse avait sonné le début de l'opération.

A la jumelle, ces oiseaux d'un genre nouveau étaient nettement visibles. Celui qui portait Duval avait tendance à s'écarter vers la gauche, mais le capitaine lâcha du gaz et trouva un courant favorable un peu plus bas.

Dix minutes plus tard, les premiers militaires descendaient sur le chemin de ronde au-dessus de la porte principale. D'autres, moins heureux, tombèrent dans la cour. Duval prit terre près d'une bâtisse située au sommet de la forteresse, sans doute le dortoir des sentinelles.

Personne ne donna l'alerte et tous ceux qui le devaient atteignirent leur objectif : le portail, qu'il fallait ouvrir et tenir jusqu'à l'arrivée des canots. Duval, lui, attendit l'arrivée de deux gendarmes pour donner l'assaut à la maisonnette érigée à l'angle ouest du fort.

— Pas de pépins ? interrogea-t-il à voix basse.

— Deux gars roupillaient dans une guérite, on les a assommés.

— Bon, parés, go !

D'un coup de pied, la porte fut ouverte. Le faisceau des lampes braquées dans la pièce crasseuse révéla trois gaillards hirsutes roupillant à poings fermés. Enroulés dans des couvertures répugnantes, ils eurent à peine le temps de se rendre compte de ce qui leur arrivait. Un coup de crosse sur le crâne les renvoya au pays des rêves.

Duval inspecta les lieux. Quelques boîtes de conserve, des bouteilles de plastique emplies d'eau de pluie, des mitraillettes, des revolvers et quelques grenades à fragmentation constituaient l'arsenal des vigilants gardiens de la bande à Jo.

Pour plus de sécurité, les trois types furent attachés avec des sangles. Tous avaient la peau du visage tachée de cancers cutanés à divers stades d'évolution. Quelques médicaments se trouvaient aussi par terre ; surtout des vitamines et des fortifiants, ce qui laissait supposer que l'état de santé des brigands n'était pas fameux.

Le staccato d'armes automatiques mit fin à cette inspection :

— Amenez-vous, les gars ! ordonna le capitaine.

Du chemin de ronde, ils aperçurent de petits groupes de malfrats qui faisaient irruption dans la cour, se dirigeant vers les escaliers menant aux remparts.

La pluie de balles en coucha plus de la moitié, et les autres, s'égaillèrent en tous sens, se réfugiant dans les salles des soubassements.

Le silence retomba.

Duval entendit alors le rugissement de moteurs tout proches : le gros de ses forces arrivait.

Il saisit sa radio et annonça :

— Avons pris pied comme prévu au sommet. Les vantaux sont grands ouverts et les renforts débarquent. Les voici, ils pénètrent dans la cour. Jusqu'ici, peu d'opposition. Terminé !

A Sophia Antipolis, les familles des gendarmes comme les chercheurs, groupés autour de Roussel et se Myriam, se détendirent : la dératisation commençait bien.

Dans le fort, l'infanterie de marine de Fréjus déferlait, mais, cette fois, l'effet de surprise ne jouait plus.

Les assiégés, bien abrités derrière les portes épaisses, tiraient comme des lapins les hommes qui zigzaguaient cherchant à gagner l'abri des murailles.

Du coup, l'expédition subit ses premières pertes : deux de ses membres s'abattirent.

Appuyés aux murs, les assaillants répondaient de leur mieux au feu de leurs adversaires. Duval nota que le tir le plus nourri partait des pièces situées en dessous et à gauche de son poste d'observation ; il se plaça donc au-dessus et lâcha quelques grenades qui permirent à ses hommes de s'approcher des ouvertures.

A leur tour, ils lancèrent des explosifs, mais cette fois, directement à l'intérieur.

Des hurlements de douleur retentirent, puis on n'entendit plus rien. Les marins ne ruèrent alors dans les salles. Quelques coups de feu claquèrent ; et, de nouveau, le silence.

Qui permit au capitaine d'entendre sur sa droite un bruit de pas.

Il braqua son arme.

— Neptune !

Pas de réponse, mais le son métallique de la cuillère d'une grenade tombant sur la pierre.

Les gendarmes se glissèrent dans une embrasure de porte et bien leur en prit : deux détonations proches les assourdirent, puis des silhouettes approchèrent prudemment.

Les mitraillettes crachèrent.

Duval avança prudemment, arme braquée. Les deux bandits avaient été littéralement hachés par les balles à la hauteur de la ceinture. L'un d'eux bougeait encore, aussi lui donna-t-il le coup de grâce.

Ceci fait, il ordonna à ses subordonnés de monter bonne garde sur le chemin de ronde et descendit rejoindre ceux qui nettoyaient l'intérieur du fort.

— Plus de résistance ?

— Non. D'ailleurs, il n'y en avait qu'une dizaine de

valides, répliqua le lieutenant Henry. Les autres sont dans un piteux état...

— Je vais jeter un coup d'œil.

La bande à Jo n'occupait qu'une partie des locaux réservés naguère à la garnison. Ceci pour une simple raison : quand une salle était remplie d'immondices, les brigands la quittaient et passaient dans la suivante.

Les femmes étaient divisées en deux groupes : celles qui participaient activement à la vie de la communauté, accompagnant les hommes au cours des expéditions, et les captives chargées des tâches ménagères les plus rebutantes, qui torchaient les rares gosses survivants. Ces dernières couchaient avec ceux qui le désiraient et ne possédaient apparemment qu'un seul droit : celui de se taire.

L'état sanitaire de ces gens était lamentable : minés par la dysenterie, la tuberculose et le sida, ils n'auraient de toute façon pas fait de vieux os.

Un brigadier désigna à son chef le cadavre du fameux Jo, un type de carrure moyenne, brun, qui devait sans doute son ascendant au fait qu'il ne se trouvait pas trop décati, alors que les autres étaient ravagés par diverses maladies.

— Y a-t-il quelque chose à récupérer? demanda le capitaine.

— Des conserves, des armes, des munitions et des ustensiles de toutes sortes pillés dans les magasins.

— Où ça?

— Dans la salle à gauche.

Duval y jeta un coup d'œil. Les aliments en boîtes pourraient être utilisés, ainsi que l'armement ; le reste ne valait pas la peine d'une désinfection. D'ailleurs, les rescapés devraient être isolés et mis sous surveillance médicale, pour ne pas contaminer les habitants de Sophia.

Duval avisa une fille en guenilles accroupie sur le sol, assez jolie malgré sa crasse.

— Comment t'appelles-tu ?

— Nathalie…

— Que faisais-tu ici ?

— La cuisine.

— Depuis longtemps ?

— Sais pas…

— Où vivais-tu avant ?

Elle fouilla dans sa mémoire en fronçant les sourcils.

— A Villeneuve-Loubet.

— Où travaillais-tu, avant ?

— Vendeuse à Cap 3000.

— Tu étais depuis quand avec la bande ?

— Six mois, environ. Avant, je vivais avec deux copains et une copine. On se débrouillait pas mal.

— En pillant ?

— Non. On avait trouvé un dépôt de conserves et on faisait des échanges avec d'autres types : du pinard, des jambons.

— Et alors ?

— Jo a entendu parler de nous. Il nous est tombé dessus, un soir. On roupillait : les deux gars ont été égorgés. Ils nous ont emmenées, ma copine et moi. De la chair fraîche, qu'ils disaient… Bien sûr, on a dû leur indiquer notre cache et ils ont tout embarqué.

— Du coup, tu es devenue cuisinière…

— Pas tout de suite. Ces salauds ont tous voulu coucher avec moi : pas étonnant, leurs mômes étaient pourries de partout. Des fois, je hurlais tellement c'était horrible. Et puis j'ai fini par m'y faire. Bien obligée…

— Et ils se sont lassés de toi…

— Pas du tout ! C'est Jo qui m'a prise comme régulière. Ça donnait des avantages : pas de sales boulots et un seul type à satisfaire. Seulement ce salopard a dégoté une autre fille, dans un pillage, Sylvie. (Elle désigna une blondasse, assise à croupetons.) Il m'a plaquée, et j'ai dégringolé dans la merde : des gars qui me tombaient dessus comme des mouches et toutes les corvées. Jusqu'au soir où on m'a mise à la cuisine. J'avais encore des herbes et de l'ail, j'ai fait mijoter du jambon qui me paraissait trop sec. Du coup, on m'a bombardée cuisinière...

— Aviez-vous des contacts avec d'autres bandes ?

— Ça oui, Jo en avait.

— Sais-tu où il les rencontrait ?

— Non. Seulement comme ce con n'avait pas de mémoire, il notait tout sur un carnet.

— Il le portait sur lui ?

— Non, il le planquait. Venez, je vais vous le donner. S'il ne l'a pas changé de place, parce que ça fait un bout de temps que je ne suis pas entrée dans sa crèche.

Elle le guida jusqu'à une pièce qui avait dû être une chambre d'officier : assez vaste, elle s'ouvrait sur la cour, face au portail d'entrée. Jo avait des idées de grandeur : il l'avait tapissée de soieries multicolores et avait entassé sur des meubles anciens un bric-à-brac où des bibelots sans valeur se mêlaient à des pièces rares et à des joyaux rutilants.

— Tiens, voilà le collier qu'il m'avait repris, ce pourri, grogna la fille en passant une parure d'éme-raudes autour de son cou. Et puis ce bracelet, était à moi aussi.

Duval la laissa récupérer ses bijoux, avant d'interroger :

— Et le calepin ?

— Ah, oui, j'oubliais. Cette carrée me rappelle telle-

42

ment de souvenirs... Il le mettait sous une dalle, là-bas, dans le coin du guéridon.

Le capitaine lui tendit sa torche:

— Eclaire-moi...

Il déplaça ensuite le petit meuble, puis s'aida de la lame de son poignard pour soulever la pierre.

Dessous, il y avait une cavité contenant le fameux carnet, ainsi que quelques pièces d'or de vingt dollars. Parfaitement inutiles, mais le malfrat devait les trouver jolies. Dernière chose, un 7,65 armé, à la sécurité enlevée: Jo était un type prudent. Il avait pourtant mal fini...

Duval reprit sa lampe et feuilleta les pages.

Elles renfermaient divers renseignements, fort bien classés sur des bandes dont le rayon d'action s'étendait jusqu'à Monaco et Fréjus, de l'autre côté de la côte. Pour chacune, des mots de code et des points de rendez-vous, mais également des fréquences radio qui permettaient de les contacter aisément en cas de besoin.

A son grand étonnement, le lecteur découvrit en outre certaines informations sur les longueurs d'ondes utilisées par les gendarmes au cours de leurs patrouilles. Cela expliquait l'impunité de Jo, qui se gardait bien de montrer le bout de son nez dans les secteurs surveillés...

Si les autres truands détenaient les mêmes indications, ce qui était probable, il serait intéressant de les piéger en lançant de faux rapports.

— Rien d'autre à signaler? demanda-t-il.

— Non, je ne vois pas... Je suppose que vous avez libéré les prisonniers?

— Où se trouvent-ils?

— En dessous, dans les cachots.

— Montre-moi le chemin!

Accompagnés du brigadier, ils descendirent l'escalier de pierre jusqu'aux grilles fermant le couloir des cellules. A l'intérieur des réduits plusieurs formes recroquevillées sur des paillasses innommables levèrent des yeux de taupes, éblouies par la lumière.

— Où sont les clefs?

— Là, dans cette niche, je crois...

Duval ouvrit sans peine les portes, qui grincèrent abominablement.

A l'intérieur de la première geôle, deux chapardeuses de nourriture. Pour les punir, on les avait enfermées, et elles devaient disputer aux rats leur maigre pitance. Quand on ne les oubliait pas.

Dans une autre, deux morts-vivants revêtus d'uniformes en loques, incapables de parler ou de se tenir debout. Duval envoya son subordonné chercher des brancards pour les transporter, car il avait reconnu deux de ses hommes, portés disparus après un engagement.

— Raconte-moi ce qui leur est arrivé, ordonna-t-il à Nathalie.

— Je ne m'en souviens pas...

Une gifle balancée à toute volée lui fit recouvrer la mémoire. Elle expliqua en pleurnichant:

— Jo a voulu faire un exemple. D'abord, ils ont tapé dessus en leur crachant à la gueule, et puis ils ont arrêté pour ne pas qu'ils crèvent trop vite. Alors, ils les ont mis ici, en leur donnant juste de quoi ne pas mourir de faim. De temps en temps, un gars venait les tabasser. Au bout d'un certain temps, le jeu ne les intéressait plus, et on leur a foutu la paix.

Le capitaine remonta avec les malheureux. Ils succombèrent pendant qu'on les transportait, des suites des hémorragies internes et fractures multiples que personne n'avait soignées, évidemment...

Les autres prisonniers furent ramenés à Sophia Antipolis, où quelques-uns, grâce aux médicaments dont disposaient les médecins, purent être sauvés. Les autres terminèrent du moins leur vie misérable dans un semblant de confort.

Au total, l'expédition avait été un succès. Pour que le fort ne redevienne pas un nid de forbans, une petite garnison y fut installée.

Ensuite, grâce au carnet de Jo, des pièges furent tendus à d'autres bandes, afin d'assainir le secteur.

Denis laissa Duval régler ses problèmes, car il terminait de nouvelles expériences et préparait son expédition vers Paris.

CHAPITRE III

La sécurité du secteur d'Antibes enfin rétablie, l'élevage de poissons prospérait de plus belle tandis que les plants de pommes de terre poussaient allègrement en plein soleil. Le ravitaillement des habitants de Sophia paraissait assuré.

Denis, de son côté, surveillait les progrès de ses deux bébés, âgés maintenant de trois mois, qui se portaient merveilleusement bien, malgré des séances quotidiennes au soleil qui auraient gravement brûlé des humains normaux. Il remit donc sur le tapis son projet de départ.

— Vraiment, tu y penses toujours? s'inquiéta Myriam. Pourtant, rien ne nous menace plus, maintenant : Dominique et son collègue ont établi un système de protection efficace. Ici, tu pourrais continuer tes travaux sans risque, au lieu de perdre ton temps avec des collègues qui se sont toujours fichus de toi!

— Sans doute ont-ils eu tort de ne pas croire à mes projets. Cela ne me donne cependant pas le droit de limiter l'implantation des transgènes à la Côte d'Azur. Si on veut qu'ils prennent un départ rapide, il faut créer plusieurs colonies, en France puis à l'étranger. Cette fois, j'apporterai des preuves irréfutables ; ils devront bien se rendre à l'évidence.

— Tu ne vas tout de même pas transporter nos gosses par monts et par vaux! N'oublie pas que j'ai été leur mère porteuse, j'ai mon mot à dire!

— Tu m'ennuies: je les emmènerai, avec les clichés des différentes phases de leur développement et les données précises sur leur code génétique, avec en plus la manière de réaliser ces modifications bénéfiques. Il faut qu'on me croie... Enfin, dans l'immédiat, nous avons un autre problème, celui du matériel: beaucoup de choses commencent à faire défaut. Avant de me lancer dans cette expédition, je vais faire un tour à Nice pour ramener tout ce qui est encore susceptible de servir. Il faut que les travaux se poursuivent pendant mon absence.

— Là, je suis d'accord: les génomes de Paul et Virginie ne sont pas ce qu'on peut faire de mieux. On pourrait, pour commencer, réaliser une variante donnant certaines capacités des dauphins: nous avons déjà isolé les maillons de l'A.D.N. codant leurs systèmes respiratoire et circulatoire. Ces transgènes seraient parfaitement adaptés au milieu aquatique. Ils veilleraient sur les fermes sous-marines bien mieux que nous...

— Je sais. Il faudrait aussi trouver quelque chose pour l'espace, le travail en apesanteur, par exemple. Enfin comme nos liaisons avec les colonies extra-terrestres sont coupées, pour le moment, rien ne presse.

— Les communications radio sont toujours bonnes dans certains centres: nous pourrions leur fournir les indications indispensables à leurs propres travaux sur les transgènes.

— Encore faudrait-il qu'ils y croient et que leur éthique leur permette d'essayer. Souviens-toi des ennuis que j'ai eus après mes premières publications: personne ne voulait prendre la responsabilité de modifier le patrimoine génétique humain. Pour les vaches, les cochons, les poules, pas de problème ! Mais l'homme, pas touche !

— A l'époque, il faut reconnaître que l'*homo sapiens* paraissait tout à fait adapté à sa planète, constata la jeune femme.

— Sans doute, mais à l'espace ? Il a fallu bourrer les spationautes de drogues pour qu'ils supportent la pesanteur d'un tiers de g de Mars. Si les augures m'avaient écouté, j'aurais réalisé des sujets parfaitement conçus pour l'apesanteur, comme Paul et Virginie le sont pour les ultra-violets.

— En tout cas, il est heureux que tu ne te sois pas découragé, sans quoi l'avenir de l'humanité serait plutôt sombre...

— C'est le cas de le dire : des troglodytes terrés dans leurs caves, incapables de travailler en plein jour, condamnés à crever faute de nourriture...

— Au fait, pendant que tu y seras, pousse donc jusqu'au musée océanographique de Monaco. Il y a peut-être encore des appareils intéressants dans les labos.

— Excellente idée !

— Moi, je préparerai un programme de recherche pour mon équipe : n'espère pas me plaquer, je t'accompagne en voyage !

— Ecoute, franchement, je préférerais que tu restes ici pour superviser les choses.

— Pas question ! De toute façon, je ne serais bonne à rien, je me ferais trop de souci pour toi.

— Toujours aussi têtue, grommela Denis en déposant un léger baiser sur les lèvres de sa compagne. Mais puisque c'est comme ça, j'ai une idée. Accepterais-tu de servir une seconde fois de mère porteuse ?

— Pourquoi pas ? La première expérience a si bien marché...

49

— Alors, voilà ce que je te propose : avant le départ, nous t'implanterons deux embryons modifiés : un garçon et une fille. Combien nous en reste-t-il ?

— Une vingtaine... Et les volontaires comme porteuses sont déjà connues ; d'ailleurs, Nathalie en fait partie... Dix autres sont au septième mois de grossesse.

— Nos premiers transgènes seront donc vite remplacés, ici, et grâce à eux, nous convaincrons facilement les gens : ils devront bien se rendre à l'évidence quand ils verront les gosses s'amuser en plein soleil !

— Tout à fait d'accord, seulement à partir du huitième mois, j'aimerais éviter les trop longues balades !

— J'espère être à Paris avant. Une fois là-bas, il faudra mettre un labo sur pied, former des techniciens... Tu auras largement le temps d'accoucher !

— Dans ces conditions d'accord ! Quand vas-tu à Nice ?

— Demain soir. Ce sera une vraie partie de plaisir : les hommes de Duval ont découvert des cuves de carburant remplies à ras bord. Nous formerons carrément un convoi protégé par les transports blindés du lieutenant Bloch.

— Ah, si Robert t'accompagne, je serai tout à fait tranquille. Avec son équipe, rien à craindre.

— Oui, ce sont tous des gars surentraînés, et ils ont un équipement de première, ce qui ne gâte rien...

Après une journée de sommeil, les membres de l'expédition se réveillèrent un peu avant le crépuscule, en pleine forme.

Ayant copieusement dîné, ils embarquèrent dans les véhicules, et la colonne prit la direction de l'autoroute. Celle-ci, suffisamment en retrait du littoral, n'avait pas été coupée par les eaux : seule la traversée du Var poserait de menus problèmes, car l'embouchure de la rivière se trouvait maintenant à la hauteur du péage vers l'Italie.

A Nice, l'aéroport et le complexe commercial de Cap 3000 gisaient maintenant à quelques mètres sous les flots. La fameuse Promenade des Anglais était aussi recouverte. Au début, on avait tenté d'élever une digue tout le long de la côte, afin de protéger la ville basse, mais les U.V. solaires avaient vite arrêté les travaux. Les humains s'étaient découverts d'autres sujets de préoccupation...

Heureusement, la faculté des sciences se trouvait assez en retrait, ainsi que l'école normale d'institutrices et tous ces bâtiments avaient été épargnés, de même que l'hôpital Pasteur et l'hospice. En gros, la mer recouvrait tout ce qui se trouvait au sud de la voie ferrée.

Ils explorèrent d'abord la faculté des sciences. Curieusement, ils n'avaient rencontré personne pendant la traversée de la ville, et il en alla de même dans les locaux universitaires. Il faut dire que ne renfermant pas de nourriture, d'armes ou de carburant, l'établissement n'avait dû intéresser aucun pillard. Aussi ses installations avait-elles été préservées. Les arrivants y trouvèrent notamment un microscope électronique flambant neuf qui serait extrêmement précieux pour les chercheurs, bon nombre de produits chimiques et d'appareils utilisables qu'ils emballèrent avec soin. La moisson fut même si abondante qu'il fallut renoncer à tout emporter : un deuxième convoi aurait été nécessaire. A Nice, en effet, personne n'avait tenté de poursuivre des recherches dans quelque domaine que ce fût. Les bandes de malfrats y avaient sévi plus qu'à Antibes, car il y avait plus de magasins à piller. L'insécurité avait alors incité les autres survivants à fuir mais, sans nourriture, ils ne pouvaient survivre.

Seuls ceux qui s'étaient joints aux clans avaient réussi à s'en tirer. Et puis, les stocks épuisés, les divers groupes s'étaient entre-tués ; bien peu restaient opérationnels.

Denis se trouvait au-dehors lorsqu'il lui sembla percevoir un léger frémissement sous ses pieds. Déjà, des gravats pleuvaient des corniches, ainsi que des tuiles.

— Attention ! cria-t-il. Sortez tous, c'est un tremblement de terre !

A l'intérieur, les secousses avaient été plus nettement perçues : flacons tombant des étagères, craquements des cloisons, oscillations des lustres. Personne ne traîna ; abandonnant les colis qu'ils préparaient, les hommes regagnèrent les camions.

Le lieutenant Bloch avait rejoint Denis.

— Depuis le temps qu'on parle de séisme à Nice, il semble que nous y sommes...

— Ma foi, oui ! Les vulcanologues du XXe siècle prévoyaient un cataclysme qui ne s'est pas produit, mais cette fois, j'ai l'impression qu'il va y avoir des dégâts. Heureusement que la ville est quasiment déserte !

— Et maintenant ?

— Les secousses semblent diminuer d'intensité. Faites démarrer le convoi, et que tout le monde roule au milieu de la rue. Dès que possible, nous emprunterons le ballast du chemin de fer.

— Suivons le boulevard de Cimiez, il est assez large !

Ayant reçu leurs instructions, les conducteurs partirent à bonne allure. L'asphalte ne bougeait plus et ils descendirent vers le tunnel, pleins gaz, phares allumés, zigzaguant pour éviter les décombres.

Ils le franchirent sans encombre, puis longèrent la gare par l'avenue Thiers et atteignirent enfin la voie rapide. A droite, au-dessus d'elle, se découpait la colline de Magnan ; à gauche, la mer.

C'est là que le séisme se déchaîna. Le sol, animé d'un mouvement de va-et-vient, rendit rapidement la conduite impossible : les véhicules tanguaient follement sur leurs amortisseurs. Il fallut donc stopper et s'écarter des camions, lesquels risquaient de se coucher sur le flanc.

Le grondement assourdissant empêchait d'entendre les hurlements des officiers ordonnant aux hommes de s'éloigner des immeubles qui tressautaient, comme pris de folie, dont les murs se lézardaient, puis s'effondraient tels des châteaux de cartes, dans des nuages de poussière.

Par chance, il n'y avait plus de gaz dans les canalisations depuis belle lurette, sans quoi tout se serait mis à flamber. De même, les bâtiments se trouvaient assez éloignés de la route, ce qui évita au convoi d'être enseveli sous les décombres.

Dans les faisceaux des phares, des nuées de particules grisâtres dansaient, oblitérant le reste du monde, et les hommes, aplatis sur l'asphalte, croyaient leur dernière heure arrivée. Denis et Bloch, muets, ne réagissaient même plus, anéantis devant ce déchaînement de forces titanesques contre lesquelles ils se sentaient totalement impuissants.

Enfin, le calme revint, les laissant hébétés, cherchant leur souffle dans cette atmosphère cendreuse. Leurs dents crissaient lorsqu'ils échangeaient leurs impressions.

— Ma parole, j'ai bien cru qu'on y passait, grogna le lieutenant.

— Sacrénom ! Il ne doit plus y avoir grand-chose debout ! Même les immeubles parasismiques ont dû en prendre un coup.

— Je n'ose pas penser aux vieilles maisons ! En temps normal, il y aurait eu des centaines de milliers de morts.

53

— Ouais! A quelque chose malheur est bon... En tout cas, ne moisissons pas ici!

Les véhicules blindés prirent la tête de la colonne pour dégager la route. De temps à autre, les soldats devaient en descendre pour déblayer des blocs de ciment ou des poutres.

Il leur fallut ainsi plus de deux heures pour parvenir à la vallée du Var et rejoindre l'autoroute. Ensuite, tout redevint presque normal, et à partir de Villeneuve-Loubet, ils constatèrent que les bâtiments étaient quasiment intacts.

Le tremblement de terre ne s'était pas fait sentir plus loin.

— Ouf, je respire! murmura le biologiste. J'en arrivais à me demander si toute la région n'avait pas été rasée.

— D'après une carte que j'avais étudiée, la zone dangereuse s'étend de Nice à Menton. Antibes se trouve en dehors.

— N'empêche que je serai plus rassuré quand nous serons arrivés. Imaginez que les volcans de l'Estérel se réveillent? Vous voyez la situation?

— Pas impossible, mais bien peu probable, assura le lieutenant. Il n'y a pas plus de danger qu'en Auvergne.

— Néanmoins, ceci me conforte dans mon opinion: je dois propager mes connaissances, pour que les transgènes ne risquent pas de disparaître.

— Là, je suis entièrement de votre avis: l'affaire est trop sérieuse pour être cantonnée à votre laboratoire. Où désireriez-vous aller?

— D'abord à Marseille ou à Montpellier, bien que je ne sois pas certain qu'il y ait là-bas une communauté scientifique, ensuite à Lyon, puis à Paris.

Bloch se gratta la tête.

— Dans les conditions actuelles, ce ne sera pas facile. Je ne parle pas du tremblement de terre, mais des pillards.

— Bah! S'ils sont en aussi piètre état que la fameuse bande à Jo, je ne courrai pas grand danger...

— Je ne faisais pas allusion à des rascals de ce genre, dépourvus de moyens et d'organisation. Duval ne vous a rien dit?

— Non...

— Il paraît que des groupes organisés militairement ont pris le pouvoir à certains endroits...

— Je l'ignorais!

— Ah! J'ai peut-être gaffé. Le capitaine ne voulait sans doute pas vous troubler dans vos recherches. Sait-il que vous voulez partir?

— Oui. Il était d'ailleurs réticent, mais comme je ne changeais pas d'avis, il a accepté de constituer un convoi pour assurer ma protection.

— Dommage que les hélicoptères ne soient plus en état de marche, et encore moins les avions. Moi, je pense que le mieux serait d'utiliser un train, avec des plates-formes sur lesquelles on mettrait les camions. Ce serait une grosse économie d'essence.

— Discutez-en avec lui...

— L'ennui, c'est qu'à Nice, tout a été détruit. Il faudrait aller à Fréjus. Là-bas, il y a encore plusieurs wagons qui servaient aux trains autos-couchettes.

— Ma foi, pourquoi pas? Un wagon-lits me plairait assez...

La colonne roulait à vitesse modérée, par prudence, et Bloch signala un point lumineux qui semblait gagner sur eux. Il fit donc stopper au bas de la côte menant à Antibes.

Une moto s'arrêta bientôt sur le bas-côté, et une fille

en descendit, vêtue d'un jean et d'un blouson, ses longs cheveux grisés de poussière se répandant en vagues sur ses épaules. Elle aurait été jolie, si elle avait été moins sale et moins maigre : c'était un véritable squelette, dont les traits émaciés se trouvaient encore durcis par l'éclairage cru des phares. Son regard halluciné plongea dans celui de Denis.

— Morts... Tous morts! Ecrasés comme des punaises! Dieu le voulait, Il avait averti de Sa volonté : d'abord la famine, puis le feu du ciel, et enfin les entrailles de la Terre se sont entrouvertes pour anéantir les pécheurs!

Le biologiste soupira. Il connaissait l'existence des sectes du Jugement Dernier annonçant le châtiment divin mais n'avait jamais rencontré aucun de leurs adeptes.

— Qui est mort? s'enquit-il simplement.

— Tous! Le grand prêtre, les diacres, les sectateurs de Jéhovah, tous ses fidèles, sauf moi... Pourtant, Il avait promis que si nous Le servions selon Ses volontés, nous serions sauvés! Il n'a pas tenu parole... Moi seule ai survécu... Pourquoi?

— Où se trouvait votre communauté?

— Dans le lycée du Parc Impérial. Il s'est effondré sur mes frères et sœurs!

— Combien étiez-vous?

— Trente-cinq...

— Et comment t'en es-tu tirée?

— On m'avait punie : corvée d'eau aux réservoirs de la Conque! Deux jerricans, c'est dur à tirer, même sur des planches à roulettes. J'étais arrivée devant, dans l'avenue, quand les secousses ont commencé : les murs se sont effondrés comme les colonnes du Temple. Moi, je me suis prosternée face contre terre et j'ai prié

56

Jéhovah. Quand Sa colère s'est apaisée, je me suis relevée! Il n'y avait plus que des ruines. J'ai appelé mes sœurs et j'ai essayé d'écarter les pierres; mes ongles se sont cassés et mes doigts ont saigné, mais personne ne m'a répondu. Alors, je me suis agenouillée et j'ai prié...

— Ensuite?

— Au bout d'un moment, la lumière de vos phares a traversé la poussière, du côté de la mer. J'ai voulu courir pour vous rattraper, seulement vous rouliez trop vite. Ça m'a fait penser aux deux motos qu'on rangeait dans la cabane en bois. Evidemment, la baraque s'était écroulée, mais ça n'avait pas abîmé les cubes. J'ai réussi à en sortir une et à la faire démarrer...

— Tu as dû avoir de la peine à rejoindre l'autoroute.

— Oh, je me demande encore comment j'ai fait! Il a fallu contourner des gravats, les roues dérapaient et je suis tombée plusieurs fois. Vos phares disparaissaient par moments et j'avais peur de ne pas pouvoir vous rejoindre. A vrai dire, au bout de dix minutes, je ne les voyais plus. Heureusement, une fois sur l'autoroute, j'ai pu foncer.

— Tu as eu une sacrée chance!

— Dieu m'a protégée... Maintenant, dites-moi où vous habitez?

— Nous sommes des chercheurs de Sophia Antipolis, près d'Antibes. Tu connais?

Elle hocha la tête affirmativement et s'étonna:

— Des savants! Il y en a encore?

— Eh oui! Bien peu, mais quelques-uns, qui tentent de sauver ce qui peut l'être.

— Il n'y a que des hommes? interrogea-t-elle en contemplant les soldats qui les entouraient.

— Non, des femmes aussi.

— Elles prient?

— De temps en temps, peut-être. Le plus souvent, elles travaillent, comme nous.

— Alors, vous avez de quoi manger ?

— Oui, suffisamment... Tu as faim ?

La mimique de la rescapée fut assez expressive. Elle dévora d'ailleurs la presque totalité d'une truite fumée et le contenu d'une boîte de petits pois avant de sembler rassasiée.

Après quoi, elle avala presque un litre d'eau.

— Tu n'avais pas bu à tes jerricans ? demanda Denis, surpris.

— Non, c'était absolument défendu ! Le grand prêtre donnait la permission, au dîner, une fois par jour.

— Je vois... Comment t'appelles-tu ?

— Aglaé.

— Drôle de nom...

— C'est celui qu'on m'a donné dans la secte. En fait, le vrai, c'est Renée.

— Bon ! Eh bien, Renée, maintenant que tu te sens mieux, nous allons repartir. Installe-toi bien.

Le convoi monta la côte et quitta l'autoroute pour se diriger vers le nord. Au passage, tous constatèrent avec soulagement que les maisons n'avaient pas souffert du séisme. Seuls quelques carreaux cassés çà et là montraient qu'il y avait eu de petites secousses.

Myriam et les autres membres de la communauté attendaient dehors : dès que les veilleurs avaient aperçu la lumière des phares, ils avaient prévenus leurs compagnons. Lorsque Denis sauta à terre, la jeune femme se précipita dans ses bras.

— Que s'est-il passé ? J'étais folle d'inquiétude...

— Haroun Tazieff doit jubiler dans sa tombe : sa prédiction de fort tremblement de terre à Nice avant la fin du XXᵉ siècle n'est erronée que de quelques dizaines d'années...

— Où étiez-vous quand ça s'est produit?

— Les premières vibrations nous ont avertis: nous avons filé sans terminer nos paquets.

— Beaucoup de dégâts?

— La ville est presque rasée...

— Eh bien, heureusement qu'elle n'était plus habitée!

— Il y avait encore quelques types dans le lycée, et nous avons une rescapée: Renée, une drôle de fille qui faisait partie d'une secte. Elle est maigre comme un clou et sale à faire peur...

— Toi non plus, tu n'es pas très joli à voir. Tu es plein de poussière.

— Pas étonnant, avec tout ça!

— Bon! Puisque tu vas bien, je vais m'occuper de cette malheureuse.

— Et moi du déchargement: nous avons ramené pas mal de matériel intéressant...

— Tant mieux, nous en avons grand besoin! J'irai l'admirer plus tard.

Tandis que les soldats transportaient les caisses, Denis contemplait l'horizon vers l'ouest: le rougeoiement du ciel indiquait que des incendies avaient éclaté dans les ruines. Pour le moment, les foyers semblaient localisés. Tout dépendrait donc du vent; s'il se levait le lendemain, alors il ne resterait plus que des cendres.

Cette catastrophe était pour lui un avertissement: l'étincelle d'espoir qu'il offrait à l'humanité était encore bien fragile. Les bébés devaient survivre à tout prix!

Le biologiste se dirigea vers le capitaine qui, lui aussi, surveillait ses hommes.

— En principe, nous n'avons rien à craindre, ici.

Seulement on ne sait jamais : comme nos laboratoires ne résisteraient pas à un séisme de cette importance, mieux vaut ne rien stocker à l'intérieur.

— J'y ai pensé : le matériel sera entreposé sous des tentes où il ne risquera rien.

— Bien ! Vous avez vu, Nice flambe...

— Oui, j'espère qu'il n'y a pas de blessés sous les décombres.

— D'après la petite, tous les membres de son groupe ont été tués.

— C'est probable ! N'empêche, voilà qui prouve que quelques communautés végétaient encore là-bas. Du reste, les notes de Jo mentionnaient un certain Mac. Sans doute y en a-t-il aussi dans les alentours, et comme leurs dernières sources de ravitaillement sont détruites, les rescapés vont devenir enragés.

— Alors, il faut renforcer nos défenses.

— C'est fait ! Il y a des guetteurs près des voies d'accès qui sont reliés par radio à mon P.C., et puis j'ai lancé la construction d'une ligne de fortins autour de vos laboratoires. Demain, si vous n'y voyez pas d'inconvénient, nous l'inspecterons. Tout de même, certains bâtiments sont un peu trop isolés à mon goût : il vaudrait mieux les ramener à l'intérieur du périmètre défensif.

— Entendu ! Mais pensez-vous vraiment qu'il y a encore du danger ?

— Oh, nous ne risquons pas grand-chose : notre position est bien organisée, nous disposons d'armes automatiques et de munitions en suffisance. Les groupuscules qui s'y frotteraient y perdraient des plumes. Non, il est inutile de vous faire du souci. D'autant que nos hommes sont bien entraînés et que leur dévouement est total : ils se rendent parfaitement compte que sans vous, sans les produits de vos laboratoires, ils crèveraient de faim...

60

— Rien à craindre de ce côté : la nourriture est assurée, et vous verrez bientôt reverdir de fertiles cultures grâce à Myriam. Il faudra d'ailleurs prévoir leur protection contre les criquets à deux pattes !

— Des miradors équipés de projecteurs et de mitrailleuses feront l'affaire ! Je ne suis pas inquiet à ce sujet, c'est votre voyage qui me préoccupe.

— Un transport ferroviaire me paraît astucieux...

— A condition d'emporter des rails, pour le cas où la ligne serait coupée. Il faut aussi prévoir un wagon blindé en tête et un en queue, des citernes pour le fioul, et du ravitaillement pour nos effectifs. Ce train sera visible de loin, et bruyant, il constituera une cible privilégiée pour les bandes de pillards de tout poil : ce que nous avons vécu ici est de la rigolade à côté de ce qui nous attend.

— Les bandits pourraient aussi bien attaquer un convoi routier, qui serait moins bien protégé.

— Je sais ! C'est ce qui me fait pencher pour le train. En plus, j'ai étudié le tracé des lignes : elles sont presque partout assez loin de la mer pour ne pas être inondées. Bien sûr, les gares de certains ports seront inutilisables, mais comme il existe des itinéraires de contournement, nous passerons toujours. Et puis nous emmènerons des blindés légers, qui feront des reconnaissances.

— Vous acceptez donc de commander mon escorte !

— Et comment ! Je tiens à être du voyage ! Bloch et Henry sont capables, mais j'ai plus d'expérience, et puis je tiens à vous : on en a vu de dures tous les deux ! J'aimerais quand même connaître exactement vos objectifs.

— Ils sont susceptibles d'être modifiés selon ce que nous rencontrerons, mais ce sont les principaux centres

61

ayant possédé des laboratoires de biologie travaillant sur les transgènes. En passant, il sera intéressant de voir ce que la flotte devient, à Toulon et à Marseille, puis nous mettrons le cap sur Montpellier, Lyon, et enfin Paris.

— Vous espérez que d'autres équipes ont obtenu des résultats aussi sensationnels que les vôtres?

— A vrai dire, non! Les ukases des comités d'éthique leur mettaient trop de bâtons dans les roues. Ce que je veux, c'est propager ma technique. Grâce à quoi des transgènes et des plantes résistants aux U.V. pourront être conçus un peu partout. Un seul foyer ne suffirait pas à une renaissance rapide.

— Très juste, mais les autres seront-ils d'accord? Si vous tombez sur des idiots du genre de ceux qui vous ont envoyé promener il y a quelques années, ils refuseront de vous croire.

— Les documents que je leur présenterai les convaincront, et j'emmènerai aussi des preuves irréfutables: des mères porteuses qui donneront naissance à des transgènes...

— Evidemment, ils ne pourront pas nier l'évidence.

— Oh, n'en croyez rien! Les plus obtus crieront bien fort qu'il s'agit d'un stratagème. Mais j'espère que certains seront convaincus et accepteront de mettre en pratique mes découvertes.

— Qu'attendez-vous de Paris?

— Difficile à dire... S'il existe encore un gouvernement structuré possédant un quelconque pouvoir, j'essaierai de le convaincre de mettre des avions à ma disposition. Cela me permettrait de répandre mes informations à travers la France, puis dans toute l'Europe et même dans le monde entier. Plus il y aura de transgènes, plus le retour à la vie sera rapide.

— Et si les gros bonnets vous prennent pour un cinglé ?

— Qui veut la fin veut les moyens ! Je peux avoir confiance en vous, Duval ?

— Ma fidélité vous est acquise, puisque je partage entièrement votre point de vue. Vous êtes un homme d'élite, le digne successeur de nos plus grands héros et l'espoir de notre pays comme celui de l'humanité tout entière !

— Merci de votre élogieuse opinion, mon cher Duval. J'espère que je m'en montrerai digne, avec votre aide et celle de vos compagnons.

— Je m'en porte garant, tous mes hommes vous sont attachés : ils se feraient tuer sur place pour vous et pour les gosses.

Denis posa la main sur le bras de son fidèle ami :

— J'en suis profondément touché et réconforté, car voyez-vous, je ne crois plus en la clairvoyance de nos dirigeants. Ils m'ont trop combattu... Mais pour vous tous, pour Myriam et les bébés, j'irais jusqu'au coup d'Etat !

— Comptez sur moi en toute circonstance : je sais que vous agirez toujours pour le bien de l'humanité !

— Je suis persuadé que, tous ensemble, nous parviendrons à remplir notre mission. Et je vais vous faire une confidence : jusqu'ici, il me semblait suffisant de donner naissance à des transgènes parfaitement adaptés à leur milieu, quel qu'il soit. C'était le but exclusif de mes recherches. Mais à présent, je pense qu'il leur faudra quelque chose de plus : un cœur et un esprit meilleurs que ceux de leurs ancêtres... Enfin, assez discuté. Nous avons fait du bon travail et la chance nous a servis. Allons nous reposer, le jour se lève...

A l'est, effectivement, l'horizon se teintait de rose. Les membres de l'expédition allèrent oublier dans le sommeil l'enfer qu'ils avaient vécu. Plus tard, ils reprendraient le travail.

Seuls, les biologistes poursuivaient leurs recherches dans l'ombre de leurs laboratoires.

CHAPITRE IV

Pendant les jours qui suivirent, des faisceaux de phares trouèrent à plusieurs reprises la nuit sur l'autoroute, s'écartant de la cité morte pour se diriger vers Antibes. La garnison du fort Carré aperçut aussi des errants qui fouillaient les carcasses des bateaux échoués ou amarrés le long des remparts. Toutefois aucune attaque ne se produisit.

Denis travaillait d'arrache-pied. Il implanta en outre deux nouveaux transgènes dans l'utérus de Myriam qui suivait un traitement hormonal approprié.

L'opération se déroula parfaitement, et il n'y eut pas de rejet la première semaine, au grand soulagement des « parents ».

Le biologiste s'occupa ensuite du fameux train qui devait transporter ses précieux rejetons. Duval et Bloch avaient fait du bon travail. Le capitaine en personne fit le guide, à la gare de Cannes.

— Devant, un wagon plate-forme entouré de plaques d'acier portant deux mitrailleuses à affût mobile...

— Et si des explosifs placés sur le ballast le font sauter ? s'inquiéta Denis.

— Rien à craindre, nous serons précédés d'une motrice diesel entourée de deux wagons garnis de sacs de sable.

— Mais s'il y a un dispositif à retardement ?

— Peu probable, c'est du matériel trop sophistiqué pour des pillards. De toute façon votre pullman sera l'avant-dernier de la rame.

— Je ne pensais pas à moi mais aux enfants, à Myriam, aux documents que j'emporte...

— Je comprends ! Notre locomotive n'a rien à voir avec celles des anciens T.G.V., mais si l'état de la voie le permet, elle filera à quatre-vingts kilomètres heure sans problème ; derrière, deux wagons de soldats encadrant deux autres contenant les provisions. Ils seront surmontés de mitrailleuses, et les hommes auront aussi des bazookas. Tout a été prévu afin que si nous devions abandonner la voie ferrée, il soit facile de transborder le tout. Deux jeeps, une automitrailleuse et des motos seront arrimées sur des plates-formes spéciales. Il y aura même un hélicoptère disposant d'assez de carburant pour faire deux cents kilomètres...

— Excellent ! Où l'avez-vous récupéré ?

— Des gars ont jeté un coup d'œil à l'héliport, et ont découvert un appareil en assez bon état. Ils l'ont réparé. Comme ça, en cas de gros pépin, vous pourrez vous en tirer.

— Et si la voie est coupée ?

— Un wagon transportera des rails et du matériel de levage.

— Formidable ! Vous avez pensé à tout !

— Je l'espère. Ici, la mer recouvre partiellement la voie. Mais les reconnaissances nous ont appris qu'ensuite, il n'y a plus rien à craindre.

— Et le tunnel ?

— Quelques gravats sont tombés de la voûte, c'est tout. Dans l'Estérel non plus, pas de problème : les quelques blocs de rocher qui avaient roulé des pentes ont été enlevés.

66

— Eh bien, mon cher, il ne reste plus qu'à partir. Quand serez-vous prêt?

— Après-demain soir!

— Parfait... Dites-moi, cette chose noire, tout à l'arrière, qu'est-ce que c'est?

— Une surprise. Un de mes hommes l'a découverte dans un musée : il s'agit d'une véritable locomotive à vapeur qui fonctionne au bois! Si nous manquons de carburant, elle pourra nous dépanner. Oh, pas à plus de cinquante à l'heure, mais c'est mieux que rien!

— Extraordinaire! J'en avais vu des reproductions, jamais de vraie. Où met-on le combustible?

— Ici, dans cette chaudière, et on le prend dans le tender qui se trouve là-derrière.

— Il y a aussi du charbon...

— Oui, un peu, malheureusement pas assez pour aller bien loin. Mieux vaudra brûler le bois des arbres morts, ils ne manquent pas.

— Ma foi, tout cela semble un peu fou, mais j'ai hâte de partir. Pas de grabuge dans le secteur?

— Les postes de garde ont signalé quelques phares les nuits précédentes, rien que des isolés.

— Dites-moi, l'équipement radio a bien été prévu?

— Nous resterons tous en contact. J'ai aussi installé un émetteur-récepteur à ondes courtes pour les communications à longue et moyenne distances.

— Eh bien, il ne me reste plus qu'à effectuer mes derniers préparatifs : je ne voudrais pas être responsable d'un retard...

Denis espérait jouir d'un repos bien mérité la veille du départ. Il n'en fut rien. En effet, vers le milieu de la nuit, les sentinelles de Sophia Antipolis donnèrent l'alerte et allumèrent les projecteurs.

La bande à Mac, après de longs préparatifs, passait

enfin à l'action. Son chef, averti du transfert d'une partie de la garnison dans le train, avait décidé d'en profiter pour attaquer ce florissant îlot civilisé.

Le forban avait patiemment étudié les allées et venues des membres de la communauté, puis il avait sélectionné son objectif : le hangar aux provisions. Celui-ci se trouvait en retrait des laboratoires, près de sapins morts dont les troncs dénudés n'attendaient qu'une étincelle pour se consumer.

Mac, astucieux, avait ordonné d'allumer un grand feu dans la pinède afin d'aveugler les guetteurs avec la fumée poussée par le vent. Ainsi, les projecteurs seraient inutiles, et l'approche de la bande facilitée.

L'attaque commença donc, en fait, par l'incendie des broussailles sèches au vent du camp ; ce que les veilleurs aperçurent d'abord, c'étaient les hommes chargés d'y mettre le feu. Le tir saccadé des mitrailleuses se fit entendre, tandis que la sirène hurlait lugubrement.

Mais les pillards avaient reculé hors de portée. Ce fut seulement lorsque les flammes furent hautes qu'ils revinrent y jeter des vieux pneus et des morceaux de plastique, lesquels dégagèrent immédiatement une épaisse fumée noire.

Heureusement, Bloch avait fait nettoyer une zone assez importante, si bien que l'incendie ne menaçait pas directement les bâtiments. Duval avait donc la situation bien en main : si les assaillants tentaient une attaque en masse, ils seraient fauchés par le tir croisé des armes automatiques. La mauvaise visibilité permettrait peut-être à quelques malfrats de s'infiltrer, mais ils tomberaient sur les réseaux de barbelés qui briseraient leur élan.

Le capitaine avait tort de se montrer optimiste, car Mac, qui n'était pas idiot, avait mûrement réfléchi avant de passer aux actes.

En effet, dès que le rideau de fumée fut suffisant, le madré utilisa son arme secrète : ses compagnons déversèrent des bonbonnes d'acide chlorydrique juste devant le front des flammes, et le vent propagea aussitôt vers les défenseurs des vapeurs corrosives.

A peine Duval sentit-il l'odeur piquante qu'il comprit que l'ennemi employait des gaz pour les déloger de leurs positions.

— Allez chercher des masques, hurla-t-il. Et revenez dare-dare, ils vont attaquer...

A mi-voix, il ajouta, à l'intention de Denis qui l'avait rejoint :

— J'espère que les capsules sont encore bonnes...

— Je vais prendre ceux du laboratoire, nous les avons vérifiés récemment, déclara le biologiste.

— Okay. Faites vite !

Le pillard avait même réussi à obtenir une certaine coordination de ses séides — une trentaine d'hommes — qui portaient des masques à gaz dérobés dans les casernes de pompiers, personne, avant eux, n'avait jugé bon de s'encombrer de ces ustensiles dépourvus de tout intérêt. Quand les vapeurs d'acide parvinrent au front, il sonna deux fois dans un antique clairon : ordre à ses blindés d'attaquer.

Alors Duval, toussant et larmoyant, vit sortir de la forêt de cauchemardesques véhicules : deux camionnettes et deux quatre-quatre, dotés à l'avant de herses destinées à dégager les obstacles. Mac s'était souvenu des films où les blindés américains munis de ces lames franchissaient les haies de Normandie sans exposer leur ventre fragile aux canons antichars allemands !

La dérisoire barrière de barbelés fut donc franchie sans mal, et les monstres garnis de plaques de protection purent se frayer un chemin jusqu'à leur but.

Du haut de leurs miradors environnés de fumée, les surveillants n'avaient rien vu et tiraillaient au hasard.

Quant aux défenseurs des laboratoires, la plupart se disputaient encore les masques à gaz.

Tandis qu'une partie des pillards commençait à entasser les conserves dans les camionnettes, ceux des quatre-quatre attachaient des câbles d'acier aux pieds des miradors et tiraient ferme...

Deux des postes de guet s'effondrèrent.

De ce côté, la voie serait libre pour la retraite.

Heureusement, Mac n'avait pas tout prévu: pendant que les hommes, assez mal en point, regagnaient leurs tranchées en toussant, le lieutenant Bloch avait fait démarrer deux de ses blindés légers. Dissimulés sous des feuillages, ils avaient échappé à la vue des attaquants.

Or, ces deux véhicules, N.B.C.[1] donc étanches, permettaient à leurs occupants de combattre sans être nullement gênés par les gaz toxiques. Leurs phares accrochèrent les bâches des camionnettes et leurs canons crachèrent en même temps. Les obus éclatèrent dans les réservoirs, dont l'essence s'enflamma aussitôt.

A ce moment, Duval avait récupéré presque tous ses soldats et le tir avait repris.

Mac, qui peinait sous le poids d'une caisse de whisky, se pourléchant déjà les babines, lâcha son précieux fardeau en voyant ses camions brûler. Il réalisa aussitôt que ses adversaires disposaient d'artillerie lourde. Dans ces conditions, la lutte devenait par trop inégale.

— Pas de bol! grogna-t-il en embouchant son clairon pour sonner la retraite.

Et, sans plus attendre, il fonça vers son quatre-quatre, dont les occupants détachaient les câbles qui avaient servi à abattre les miradors.

1. N.B.C.: protection Nucléaire, Bactériologique, Chimique.

— Embarquez, les gars! On fout le camp…

— Quoi? protesta l'un deux. T'es dingue, on vient juste de commencer!

— Vise un peu! hurla son chef en désignant une masse verdâtre qui se dirigeait vers eux.

— Merde…, fit l'autre.

Le moteur tournait encore et ils foncèrent aussitôt à travers la fumée. Malheureusement pour eux, un des canonniers les avait repérés. Il visa l'arrière vulnérable du véhicule…

L'explosion projeta en l'air les corps désarticulés des passagers.

Bientôt, les hommes de Duval, disposés en tirailleurs, occupèrent à nouveau le terrain perdu. Ils firent six prisonniers, des veinards qui furent ensuite soignés — mais ne purent être guéris des cancers qui les minaient.

L'incendie fut éteint assez rapidement. Faute de bois, il s'arrêta d'ailleurs à la limite du camp. L'acide, recouvert de terre, cessa d'émettre des vapeurs. L'air redevint enfin respirable.

Par mesure de prudence, Duval fit redresser les deux miradors dont les occupants, blessés, avaient été sauvagement achevés au couteau.

Une barrière de barbelés fut aussi rétablie, et ce ne fut qu'à l'aurore que les militaires purent prendre un peu de repos.

Le cadavre de Mac, suspendu par les pieds à la fourche d'un sapin calciné, fut ramené dans la salle où les morts avaient été entassés pour identification. Le chef de bande était un colosse de près de deux mètres de haut. Curieusement, il ne paraissait pas malade et, contrairement à ses compagnons, avait respecté une hygiène scrupuleuse : ses ongles étaient propres et bien coupés, sa barbe taillée, ses vêtements lavés. Il avait dans la poche une bible, très culottée, tout un arsenal de pistolets et de grenades, et une grande cartouchière autour du cou.

— Dommage que ce type n'ait pas été des nôtres... Il aurait constitué une bonne recrue, murmura le capitaine en guise d'oraison funèbre.

— En tout cas, il a failli réussir son coup de main, constata Denis, dont les yeux larmoyaient toujours. Ne craignez-vous pas qu'une autre bande parvienne à ses fins si la garnison est moins importante ?

— Non. Primo, celle de Mac était l'une des dernières. Secundo, il nous a surpris avec l'incendie et le gaz, alors que maintenant tout a brûlé dans un large périmètre et les broussailles ne risquent pas de repousser! Et tertio, il restera ici plusieurs blindés légers.

— Dans ces conditions, je n'ai pas de scrupules à partir. Pour l'instant, je vais aller voir si nos cultures n'ont pas souffert des vapeurs de chlore. Heureusement, les enfants ont pu recevoir des masques à temps.

Les botanistes furent soulagés en constatant que leurs précieux plants de tomates et de pommes de terre n'avaient pas été atteints. Ils en lavèrent les feuilles avec amour, leur octroyant en prime une dose d'engrais supplémentaire, puis reprirent leurs travaux sur une variété de maïs.

Le lendemain, on embarqua dans les camions les plants destinés aux démonstrations: il fallait rejoindre Cannes par l'autoroute, ce qui ne posait pas de problème. Le vrai départ se ferait de là-bas, à l'aube.

Toute la communauté se rassembla donc pour faire ses adieux à celui qui lui avait redonné espoir et confiance, un homme que chacun ici considérait comme le sauveur de l'humanité, un incompris qui avait su tenir bon malgré les obstacles mis sur sa route et qui, finalement, avait fait le bon choix.

— Mes amis, déclara-t-il, je ne cacherai pas mon émotion en quittant cet endroit où j'ai passé dix ans de ma vie et où j'ai effectué mes plus importantes découvertes. Sachez que, sans vous, je n'aurais jamais eu le courage de persévérer. En butte aux critiques et aux railleries avant le cataclysme, j'aurais abandonné la tâche si je n'avais été soutenu par votre camaraderie et votre désintéressement. Car vous avez souvent œuvré en sachant que vous ne récolteriez que blâmes et mépris. Combien de fois nous a-t-on menacés de couper nos maigres crédits ? Et pourtant, nous avons tenu bon et persévéré… Je vous quitte en sachant que vous poursuivrez notre œuvre et qu'une race nouvelle verra le jour sur cette Côte d'Azur qui fut un paradis. A l'aube de l'humanité, les hommes de Grimaldi ont vécu sur cette côte. Nos transgènes, comme eux, seront les pionniers d'une population nouvelle. J'emmène Paul et Virginie ; cela vous peine, mais bientôt, dix jeunes mères donneront le jour à vingt nouveaux bébés, et vingt autres suivront, je l'espère… Et puis bien que séparés, nous resterons en contact par radio… Ce n'est qu'un au revoir…

Ils entonnèrent l'antique refrain, les larmes aux yeux, puis Denis serra la main de tous ses collaborateurs. Myriam, elle, étreignit ses amies en pleurant à chaudes larmes, tandis que les enfants, effarouchés, passaient de bras en bras. Puis chacun prit sa place dans le convoi.

Duval houspillait les retardataires dissimulant son chagrin comme ses hommes : il laissait derrière lui femme et enfants. Heureusement, la région semblait pacifiée.

Le trajet s'effectua sans difficulté. Bloch, qui avait veillé aux préparatifs, les escorta jusqu'à Cannes, tout fier de sa nouvelle promotion : la veille, le capitaine lui avait confié le commandement de la base d'Antibes au cours d'une brève cérémonie.

Duval, peut-être pour s'encourager lui-même, ne tarissait pas :

— Mon vieux, nous sommes devenus les gardiens du futur. Les transgènes nous remplaceront sur la terre, dans les mers et sans doute aussi dans l'espace...

— Je ne m'en étais pas vraiment rendu compte, à Canjuer. A Sophia, j'ai appris que grâce à Roussel et à son équipe, la Terre n'est pas condamnée à devenir une planète morte. Des plantes, des animaux, des êtres humains la peupleront bientôt, comme naguère. Je donnerais ma vie pour les défendre ! D'ailleurs, j'ai offert mon sperme pour la nouvelle couvée de transgènes. N'empêche qu'il faudra vous tenir sur vos gardes : tout le monde ne pensera pas comme moi. Je suis sûr que certains seront si jaloux qu'ils chercheront à effacer jusqu'au souvenir de Roussel et de ses découvertes. Au nom de la préservation de la race humaine, évidemment.

— Pardi, je le sais bien ! C'est ce qui m'a incité à l'accompagner pour le défendre. Par quelques côtés, il est resté très naïf : il n'imagine même pas que ses adversaires puissent refuser l'évidence... En ce qui me concerne, je ferai de mon mieux pour que les transgènes se multiplient.

— Comptez sur moi pour vous épauler de mon mieux : le moment venu, nous prendrons contact avec des biologistes italiens.

— Parfait ! Ah, si un jour nous sommes en difficulté sans pouvoir réclamer ouvertement du secours, je vous demanderai comment se porte Aglaé.

— Bien compris. De mon côté, si je vous parle de Zoé, c'est que nous aurons des problèmes insurmontables par nos seuls moyens.

Les deux hommes s'étreignirent, puis Duval passa rapidement en revue les effectifs du train : une cinquantaine d'hommes, triés sur le volet ; parmi eux, cinq mécaniciens spécialisés qui assureraient l'entretien des locomotives, le lieutenant Séguin et le sergent Chantel qui piloteraient l'hélicoptère. Chantel fit les honneurs de son appareil, posé sur un wagon plate-forme, et déclara :

— Un véritable bijou, mon capitaine ! Marche au poil ! Seul défaut : un peu soiffard. Avec nos stocks de carburant, je n'assure pas plus de deux cents kilomètres ; et encore, pas si le vent est contraire.

— Nous en trouverons peut-être à Toulon, si les rescapés de la marine se montrent coopératifs.

— On peut toujours espérer...

Manifestement, le brave Chantel n'y croyait guère.

Les véhicules blindés avaient été disposés tout à l'arrière du convoi. Des plans inclinés adaptables leur permettraient de descendre directement sur la voie en cas de besoin, une fois la locomotive à vapeur décrochée. Quant aux précieuses citernes de carburant et aux deux wagons de vivres et de matériel, ils précédaient l'hélicoptère.

Des filets de camouflage avaient été prévus, pour d'éventuels arrêts en terrain découvert.

Bref, le convoi de dix voitures avait un air martial qui donnerait à réfléchir aux pillards tentés de l'attaquer.

Pendant le trajet, la locomotive à vapeur resterait toujours sous pression, afin de prendre le relai si l'autre se montrait défaillante. Son astucieux mécanicien avait même prévu d'accoupler aux tubulures de vapeur des lances orientables, qui seraient précieuses en cas de combat rapproché. Denis le félicita de cette initiative.

Enfin, il embarqua dans son wagon-salon, désuet mais fort commode pour le transport des objets les plus précieux et les plus fragiles : en fait, toute sa partie arrière avait été transformée en un laboratoire assorti d'une petite salle de projection. De là, on accédait directement au wagon-lits réservé aux officiers, sous-officiers et spécialistes scientifiques. Myriam s'y trouvait déjà, en train de déballer ses maigres bagages. Par chance, elle supportait allègrement sa grossesse.

La locomotive siffla trois fois ; le capitaine se figea au garde-à-vous devant la porte ouverte ; les soldats, sur le quai, rendirent les honneurs.

Ceux qui partaient songeaient qu'ils vivaient là un tournant de leur existence ; quand reverraient-ils les amis restés sur place, s'ils les revoyaient jamais ?

Tous, conscients de l'importance de leur mission, étaient pleins d'espoir et de confiance : si la Terre redevenait le verdoyant paradis d'antan, ce serait grâce à eux.

Le convoi quitta la gare pour s'engager dans le tunnel : le temps pour chacun de fermer hermétiquement les fenêtres afin de s'abriter, à la sortie, du pernicieux effet des U.V. Seuls les veilleurs, dans leurs guérites, les conducteurs et les passagers du wagon-salon pouvaient surveiller l'extérieur à travers des vitres protectrices. Quant à Paul et Virginie, tout avait été prévu pour qu'ils puissent s'ébattre au soleil.

Denis, assis devant l'une des glaces, regardait grandir la lueur du soleil. Puis le wagon déboucha en pleine lumière et le miroitement des eaux de la vaste baie l'aveugla : il dut mettre des lunettes pour profiter pleinement du spectacle de l'Estérel se découpant à l'horizon.

Dans ce coin sauvage, le paysage n'avait guère changé ; les roches rouges avaient toujours leur aspect de laves ; seule l'absence totale de végétation rappelait le drame de la nature terrestre.

Duval vint s'asseoir à côté de lui et s'enquit :

— Vous paraissez songeur ? Cela fait toujours quelque chose de quitter un coin où l'on a vécu longtemps. Au début, je n'arrivais pas à m'habituer à changer de garnison...

76

— Oui, il y a de ça, et aussi autre chose... Mais nous sommes embarqués dans la même galère, nous devrions nous tutoyer, maintenant.

— Dame, nous sommes de vieux compagnons d'armes !

— Eh bien, pour tout t'avouer, ce qui me pèse le plus, c'est de ne pas être sûr d'avoir pris la bonne décision. Qu'allons-nous découvrir ? Serons-nous compris des responsables ou faudra-t-il nous battre ? C'est cela qui me tourmente.

— De toute façon, nous nous arrêtons d'abord à Toulon. Là-bas, il n'y a pas de scientifiques, à part à l'hôpital maritime : ses médecins ont toujours été très compétents, et les bâtiments n'ont pas été submergés.

— Ce n'est pas comme ici. Regarde : l'eau arrive jusqu'aux rails !

— Cette partie de la voie est la plus basse jusqu'à Toulon. Ne t'en fais donc pas : dès que nous serons sur l'Estérel, nous aurons les roues au sec.

— Et à Toulon ?

— La gare voyageurs est aussi à sec.

— Mais ensuite ?

— Pas de problème non plus à Marseille.

— Tout devrait donc bien passer de ce côté-là. Par contre, je suis plus inquiet en ce qui concerne les hommes...

— A Toulon, l'amiral Gueguen a maintenu un noyau militaire normal. J'ai même cru comprendre que le grand porte-avions nucléaire, le *Charles de Gaulle*, était encore en état de prendre la mer. La majorité des marins ont néanmoins été démobilisés, il n'en reste qu'un millier. Quant aux habitants de la ville, leur sort a été le même qu'à Nice : seules quelques bandes ont survécu.

— As-tu parlé de mes recherches à Gueguen ?

— Oui. Selon moi, il n'y a rien compris : c'est un type buté, service, service ! Sa mission consiste à maintenir quelques bateaux disponibles pour le gouvernement, et il le fait, un point c'est tout. Comme si une guerre était à craindre! Tous les pays ont subi le même sort!

— Alors, selon toi, il n'acceptera pas de collaborer avec moi?

— Gueguen? Sûrement pas! Sauf sur ordre présidentiel... Par contre, son second, le contre-amiral Le Goff, lui, a semblé enthousiasmé par l'existence des transgènes. Il m'a assuré qu'il ferait son possible pour convaincre son supérieur de leur intérêt.

— Espérons qu'il y parviendra, car je suis de moins en moins persuadé du bon sens de mes congénères.

— Il faut avouer que jusqu'ici, tu es le seul à avoir effectué des travaux permettant de surmonter la catastrophe. Les gouvernants, au contraire, n'avaient pas pris de mesures suffisantes pour protéger notre précieuse couche d'ozone... Productivité avant tout, quoi qu'il puisse en coûter... Emploi massif d'engrais, au lieu de graminées transgenes fixant directement l'azote comme les légumineuses.

— Alors qu'il aurait suffi d'un peu plus de bonne volonté et d'un peu moins d'avarice pour tout sauver... Je crois de moins en moins qu'on favorisera le développement de mes transgènes. Les autorités en place tergiverseront, demanderont l'avis des spécialistes, et pour finir, rien ne sera fait — ou trop tard. J'en arrive à me demander si je ne devrai pas imposer mes vues par la force...

— Je n'aime pas beaucoup cette idée: ce n'est pas très démocratique. Mais le Premier ministre appuiera peut-être tes propositions...

— Je n'y compte pas trop: pour moi, Toulon sera un test. Si l'amiral met des forces à ma disposition pour protéger les bébés et m'aider à faire connaître mes techniques, alors je réviserai ma position... Tiens, pourquoi s'arrête-t-on?

Le capitaine se leva et échangea quelques mots avec le mécanicien de la locomotive par téléphone, puis il revint :

— Des éboulis sur la voie. Tant que nous serons dans des passages encaissés, il faudra déblayer ; les services d'entretien ne s'occupent plus de rien depuis belle lurette !

— J'ai toujours peur qu'il ne s'agisse de barrages dus à des bandes de pillards.

— Ne t'en fais pas, l'escorte a pris position sur le remblai au-dessus de nous. Rien d'anormal dans les environs.

— Bon ! Nous parlions donc de Gueguen : il peut drôlement me faciliter la tâche s'il le veut bien. Avec quelques membres du service de santé et le matériel de l'hôpital maritime, il serait possible d'installer là-bas un centre de production de transgènes. Et s'il accepte de nous prêter un bateau à propulsion nucléaire... nous pourrons aller pratiquement partout dans le monde ! Y compris à Paris...

Sur ces entrefaites, le train siffla et redémarra.

Georges fronça les sourcils en grommelant :

— Toi, tu as une idée derrière la tête...

— Un rêve... Tu ne crois pas qu'il serait plus facile de discuter avec ces ânes bâtés si nous étions en position de force ? Ils m'ont déjà envoyé me faire voir...

— Peut-être, étant donné les circonstances, admettront-ils que c'était une erreur ?

— Tu parles, je les connais ! Ils préféreront crever !

— Evidemment, un gros navire bien armé nous donnerait un avantage certain. Il serait tellement rageant de voir tout remis en question...

— Te rends-tu compte que le gouvernement pourrait décider de refuser les transgènes ? Il pourrait donner l'ordre à Gueguen de nous boucler ; le porte-avions pourrait même bombarder Sophia Antipolis et détruire nos installations.

— Crénom! je n'y avais pas pensé. Tu crois qu'ils seraient assez bêtes pour le faire?

— Rappelle-toi les pauvres types qui soutenaient que la Terre était ronde, alors que le dogme assurait qu'elle était plate... et la manière dont l'inquisition a obligé Galilée à renier la vision de l'Univers de Copernic... Et les adversaires de Pasteur, qui se moquaient de lui et prônaient la génération spontanée. Il y a tellement d'exemples! La science officielle rejette souvent les idées des précurseurs.

— Je sais... Même les écrivains de science-fiction ont commis ce genre d'erreur. Jules Verne, pour ne citer que lui, faisait voyager ses astronautes dans un obus, alors qu'ils auraient été écrasés par l'accélération initiale.

— Par contre, Tsiolkovski avait vu juste. Mais il a fallu attendre Goddard en Amérique et von Braun en Allemagne pour que ses vues soient enfin acceptées!

Le capitaine soupira:

— Ma foi, tu m'ouvres les yeux. Là-bas, dans notre petit coin de pinède, tout avait l'air si simple: quelques voyous à mater, rien de plus. Alors que si Gueguen décide de nous en faire baver, s'il en réfère à Paris, nous risquons des ennuis à n'en plus finir. Cela mérite réflexion...

— En attendant, puisque le convoi roule de nouveau, je vais dormir. J'ai tellement bossé ces derniers jours que je tombe de fatigue.

Denis se rendit donc dans le wagon-lits, où Myriam avait installé Paul et Virginie. Les deux enfants ne se réveillèrent même pas à son entrée. La jeune femme, le voyant s'affaler sur sa couchette, comprit qu'il était épuisé et ne chercha pas a engager la conversation.

Le soleil, à l'extérieur, dardait ses mortels rayons. C'était l'heure du repos pour les humains...

CHAPITRE V

Il y eut encore quelques arrêts avant Toulon : des obstacles sur la voie, gravats, carcasses de voitures rouillées ou draisines abandonnées. Le plus sérieux retard fut provoqué par un rail déboulonné. Heureusement, la lumière permit au conducteur de l'apercevoir à temps ; de nuit, la locomotive aurait sans doute déraillé.

Vers dix-neuf heures, le convoi parvint dans les faubourgs de Toulon. Denis, réveillé depuis une demi-heure, avait ordonné à Duval d'annoncer leur arrivée à l'amiral et de demander une entrevue et un point de rencontre.

La réponse fut laconique : « Rendez-vous sur le pont Sainte-Anne, à la sortie de la gare. Une escorte vous attendra pour vous mener à bord.

— Pas de formule de bienvenue, aucun commentaire, nota le capitaine. Ça risque d'être délicat…

— On verra bien…, répliqua distraitement Denis, qui regardait par la fenêtre. Nom de nom, qu'est-ce que c'est que ça ?

Son compagnon se pencha pour voir de quoi il parlait et poussa un sifflement d'étonnement.

— Drôle de gusses ! On croirait des chevaliers du Moyen Age !

— Exactement !

En effet, des hommes approchaient du train au galop. Ils portaient des casques et de longues tuniques et les caraçapons de leurs chevaux achevaient de leur donner l'apparence de guerriers des temps reculés.

— Pas idiot, cette protection, marmonna Denis. Les lunettes des casques sont sans doute dotées de verres filtrants.

— Mais en plus de l'épée, ils ont une mitraillette en bandoulière, nota le gendarme.

— Ils ne nous mettent pas en joue. Peut-être sont-ils pacifiques ?

— Pas étonnant, nous sommes indéniablement mieux armés.

Cependant, leur curieuse escorte leur adressait de grands signes.

— Je crois qu'ils veulent nous parler, remarqua le biologiste.

— Moi, je me méfie de ce genre de dingues ! Laissons tomber. D'ailleurs, Gueguen nous attend...

— Non... L'amiral ne nous a pas parlé de dissidents dans son secteur, mais apparemment, il n'a pas la situation aussi bien en main qu'il le prétend. Fais arrêter le train.

— Comme tu voudras. Mets quand même un gilet pare-balles sous ta combinaison.

— D'accord ; quoique j'espère que ce sera inutile.

Le convoi s'immobilisa donc, juste après le pont qu'il venait de franchir. Les cavaliers s'alignèrent le long du wagon-salon, et leur chef, dont le cimier s'ornait de plumes de paon, mit pied à terre.

Denis, escorté de Georges et de quatre soldats armés jusqu'aux dents, descendit et se dirigea vers le visiteur. Celui-ci leva les deux mains, paumes en avant, en signe de paix tout en déclarant :

— Bienvenue sur nos terres, messires. Il y a au. lustres que je n'ai contemplé telle machine en état de marche...

— Salut à vous. Mais vous parlez de votre territoire... Je pensais que Toulon se trouvait sous le contrôle de l'amiral Gueguen.

— Cette vieille ganache se cache dans les carcasses rouillées de ses navires et ne s'aventure pas en dehors de la zone protégée par les armes automatiques de sa flotte. Mais je me montre fort incivil. Permettez-moi de me présenter : sire de Beauharnais ; et voici mon lieutenant, le chevalier d'Orsaix.

— Je suis le professeur Denis Roussel, d'Antibes, et mon ami est le capitaine Duval, chef du détachement militaire.

— Quelles sont vos intentions, capitaine ?

— Tout à fait pacifiques. Nous passons simplement à Toulon et devons y rencontrer l'amiral.

— J'ai en effet ouï vos messages radio. Quelle est votre destination ?

— Marseille, puis Lyon et Paris.

— Lointaines cités. Pourquoi ce périple ?

— Je veux faire connaître certaines de mes découvertes qui sauveront l'humanité, répliqua Denis.

— Ah, les transgènes. Je suis historien, mais ce cher d'Orsaix professait les sciences naturelles. Il m'a expliqué la nature de vos réalisations avec un bel enthousiasme et, ma foi, m'a presque convaincu.

— J'en suis ravi, car c'est à mon avis la seule chance de repeupler notre planète...

— Et vous espérez persuader le vieux mathurin de vous octroyer son aide ?

— Je lui exposerai mes théories et lui montrerai le fruit de mes expériences. J'espère que cela l'incitera à

... on appui. Mon but est d'implanter dans le
... us possible de centres produisant ces trans-
... naux, végétaux mais aussi humains.

... comptez guère! Moi-même, qui ressens une
gra... sympathie à votre égard, je n'arrive pas à croire
que ce soit possible.

— Eh bien, si vous le désirez, je puis vous en donner
la preuve concrète. Laissez vos armes au capitaine et
suivez-moi.

— Denis, tu prends des risques, intervint Duval.

— Je suis venu pour faire des adeptes : il serait dommage de perdre une si belle occasion.

— Professeur, voulez-vous me permettre de vous
accompagner? s'immisça d'Orsaix. Ce serait une
immense faveur, la renaissance d'un espoir perdu...

— Pas de problème. Donnez votre mitraillette à mon
ami et suivez-nous.

— Entendons-nous bien, fit Beauharnais à l'intention
de Duval. Si je ne suis pas de retour dans un quart
d'heure, mes écuyers couperont la voie en amont et en
aval de votre convoi.

— J'en prends bonne note!

Les trois hommes se rendirent alors dans le laboratoire, et Myriam, un peu affolée, vit déboucher ces deux
grands gaillards poussiéreux dans son saint des saints.
Courtois, les arrivants ôtèrent leur casque et lui bai-
sèrent la main, tout en lui présentant leurs hommages.
Surprise mais rassurée, elle retrouva le sourire.

— Nos visiteurs désirent contempler Paul et Virginie,
expliqua Denis. Je leur montrerai aussi quelques plants
de légumes.

— Parfait! parfait! Couvrez-vous, messieurs, car le
soleil donne en plein dans ces compartiments.

Ahuris, les chevaliers pénétrèrent dans la nursery où

les deux bébés, en barboteuse, jouaient en plein soleil. Leur peau sombre ne présentait aucune trace de brûlure.

— Mais ce sont des nègres! s'étonna d'Orsaix.

— Du tout! répliqua Denis. Vous avez affaire à deux sujets de race blanche. Vous pouvez d'ailleurs constater qu'ils n'ont aucun caractère négroïde, pour les lèvres ou les cheveux. Seule leur peau diffère : elle élabore une mélanine qui la protège efficacement des U. V. nocifs; ce caractère est génétiquement transmissible.

— Stupéfiant! s'exclama Beauharnais, admiratif. Leurs descendants pourront donc repeupler la Terre...

— A condition de disposer de végétaux et d'animaux pour se nourrir et reconstituer un écosystème valable, rappela Denis. Voyez dans le compartiment voisin...

Là, deux plants de tomates aux fruits vermeils et des pommes de terre poussaient dans des cuves hydroponiques, directement sous les rayons solaires.

— Professeur, je suis convaincu, déclara Beauharnais en saluant bien bas. Vous êtes le sauveur de notre pauvre planète, apparu tel un nouveau Messie pour combattre l'Esprit du Mal et les Ténèbres! Vous pouvez compter sur le soutien de notre entière confrérie.

— Eh bien, je l'accepte volontiers. Allons à côté, nous porterons un toast pour sceller notre alliance.

Le capitaine, bougon, semblait apprécier médiocrement ces alliés farfelus, mais il ne dit mot. Ils passèrent tous dans la partie salon, où Denis déboucha un rosé bien frais; les verres emplis, il leva le sien.

— A l'avenir de Paul et Virginie!

— Que les bénédictions du Ciel se répandent sur eux! répondit Beauharnais.

Ils burent en connaisseurs, à petites gorgées, s'extasiant :

— Tudieu! J'en avais presque perdu le goût! Je n'ai

point entrevu de vigne dans vos cultures. L'auriez-vous omise? Ce serait dommage...

— Certes. Mais ne vous inquiétez pas, mes collaborateurs y ont songé: Noé ne saurait oublier la vigne dans son arche...

— Ah! Je m'en réjouis!

— Dites-moi, vivez-vous dans les Maures?

— Les Maures! Que ferions-nous dans ces collines désertes cent fois ravagées par les incendies? Nous y crèverions de faim!

— Alors où vous êtes-vous réfugiés?

— Dans le fort Faron, au-dessus de cette cité.

— Les forts n'étaient-ils pas contrôlés par l'armée?

— Vous ne semblez guère au fait de la situation dans notre bonne ville!

— Ma foi, non...

— Eh bien, lorsque les entrepôts maritimes ont été submergés, l'amiral a sauvé ce qu'il a pu. Seulement cela n'aurait pas suffi à nourrir des effectifs importants. Il a donc démobilisé une bonne partie de ses hommes qui se sont répandus dans la ville et ses environs. Les citadins, après avoir pillé les magasins, ont péri de faim. Les matelots, eux, nantis de maigres provisions, ont tenu un peu plus longtemps. Sans espoir, pourtant: s'ils approchaient du port, on faisait feu sur eux, et ils n'avaient aucun moyen de quitter Toulon. Un peu avant cela, toutefois, les deux forts avaient été évacués, et les rares civils survivants — nous — s'y étaient retranchés. Nous nous sommes débrouillés pour y faire germer les graines que nous avions sauvegardées.

— Effort méritoire, car vous avez dû rencontrer de grandes difficultés.

— Moins qu'on aurait pu le redouter. Faron constitue le castel de notre confrérie. A la Croix Faron, qui est plus vaste, nous avons des champignonnières dans les casemates et des cultures dans la cour.

— Comment protégez-vous les plantes du soleil?

— Tout simplement en tendant au-dessus des bâches enduites de bergaptène. La pharmacie de l'hôpital maritime en contenait un stock important.

— La pluie ne les a pas dissous, à la longue?

— Non, parce que nous avons placé une seconde couche de plastique par-dessus la première.

— Et vous avez réussi à effectuer plusieurs récoltes?

— Oui; les fanes même ont été précieuses, pour nourrir les chevaux et les lapins.

— Des lapins! Comment ont-ils survécu?

— Ils habitent dans des terriers et sortent surtout la nuit. Et puis les herbes sèches ne manquaient pas, car le mont Faron n'a pas été incendié.

— Il faudra m'en donner un couple, nous tenterons de les adapter...

— Bien volontiers. Nous avons des poules, aussi: leurs ancêtres se trouvaient dans un silo à grain, à l'abri du soleil. Et même des cochons, dont les parents habitaient une soue.

— Nous n'avons pas eu autant de chance! Mais comment se fait-il que l'amiral n'ait pas réquisitionné tout cela?

— Il ne s'y risquerait pas : nous avons recueilli les gars qu'il avait démobilisés, les vouant à une mort certaine. Ils le haïssent farouchement.

— Je comprends... Autre chose : pourquoi avoir adopté cette pseudo-société médiévale?

— Eh bien, nous comptons dans nos rangs nombre d'universitaires et quelques historiens. Après avoir longuement débattu de la question, nous avons jugé qu'elle était la mieux appropriée : jadis, les comtes défendaient

87

les marches, et les autres seigneurs assuraient la paix dans leur domaine. L'absence de pouvoir central effectif et la lutte menée contre cet obstiné de Gueguen nous ont incité à établir un gouvernement fortement hiérarchisé, où chacun peut acquérir des titres selon ses mérites et possède un fief à protéger.

— Alors, selon vous, l'amiral refusera de m'aider à répandre mes transgènes et à recréer une flore et une faune nouvelles?

— C'est un individu borné. Sa position est simple et il n'en démord pas: l'Etat lui a confié une flotte pour protéger les côtes de la France, même si personne ne les menace, il pourrira sur place.

— Et si le président lui donnait des instructions différentes?

— Il penserait que l'ennemi s'est emparé des codes de la marine et cherche à le leurrer. Un officier de liaison en qui il aurait toute confiance pourrait aller à Paris et en revenir avec confirmation des nouvelles directives, ce serait la seule manière de le faire changer d'avis.

— Je vois... Le Goff, par exemple?

— Sûrement pas: Le Goff, lui, est réaliste, il comprend que le monde de jadis n'existe plus et qu'il faut le reconstruire sur des bases nouvelles. Reste à lui démontrer que c'est possible. Mais après avoir contemplé Paul et Virginie, le doute n'est plus permis.

— Je vous l'ai dit: il me faut implanter le plus grand nombre possible de transgènes, en France d'abord, et ensuite dans le monde entier. Etes-vous disposé à m'aider dans cette entreprise?

— En ce qui me concerne, avec enthousiasme! acquiesça le sire de Beauharnais.

— Vous pouvez compter sur mon épée! renchérit le chevalier d'Orsaix. Et je me porte garant de nos francs compagnons.

— Même pour tenter un coup de main contre le *Charles de Gaulle*? insista le capitaine.

— Surtout dans ce cas : nous serions enfin débarrassés de cet immonde pourceau! Seulement, il faudrait un plan mûrement réfléchi : l'échec n'est pas permis, souligna d'Orsaix.

— Seuls quelques officiers de son état-major sont à sa dévotion. Il n'en va pas de même du reste de son équipage : les matelots ne lui pardonnent pas d'avoir chassé leurs amis, parfois même leurs frères! reprit son camarade.

— Il faudra en tenir compte, murmura Duval. Avez-vous des appuis dans la place?

— Certes : tous ceux qui se sont trouvés séparés par Gueguen se rencontrent la nuit aux avant-postes.

— Bien! Vous obtiendrez donc sans peine les renseignements nécessaires sur leurs défenses et leurs tours de garde, se réjouit le gendarme.

— Bon! Assez parlé! coupa Denis. Les émissaires de Gueguen nous attendent devant la nouvelle darse au pont Sainte-Anne. Je ne veux pas lui parler de notre rencontre, et un retard éveillerait ses soupçons. Où pourrons-nous vous contacter?

— Remontez le boulevard Sainte-Anne, passez devant l'hôpital maritime ; après la corniche, vous verrez une petite route qui serpente vers les forts. Venez avec un de vos véhicules, allumez deux fois vos phares, puis une fois. Des amis vous guideront...

— Parfait! A bientôt...

— Messire, conclut Beauharnais d'un ton ému, le Seigneur vous a envoyé à nous pour sauver la France! Comptez sur l'appui sans restriction des Chevaliers du Sépulcre...

— Merci du fond du cœur...

89

Leurs étranges alliés descendirent du wagon et enfourchèrent leurs destriers. Puis, saluant, ils piquèrent des deux avec leur escorte et disparurent dans une nuée de poussière, suivant le tracé des rails.

Sans doute une embuscade avait-elle été prévue et le sire de Beauharnais voulait-il libérer la voie.

— Eh bien, qu'en penses-tu? s'enquit Georges. De drôles de citoyens, mais qui m'ont l'air sincères...

— Oui. En y réfléchissant, d'ailleurs, la structure de leur société semble cohérente: dans des circonstances catastrophiques, il faut un pouvoir fort. Chacun connaît sa tâche et sait qu'on le récompensera selon ses mérites, ce qui fait que tous œuvrent de bon cœur pour le bien commun. Et puis leur apport va être inestimable: le patrimoine génétique des chevaux, des porcs et des lapins! Je n'en espérais pas tant...

— Qu'allons-nous dire à Gueguen?

— Eh bien, je vais jouer au savant farfelu qui ne sait pas quoi faire de ses découvertes et veut les confier au président.

— Cela le rassurera. Et Le Goff?

— Lui, il faut s'assurer qu'il comprend la grandeur de notre but. S'il semble convaincu, nous le mettrons au courant de nos projets: son aide nous serait précieuse, et nous disposerions d'un complice haut placé à bord.

— Qui pourrait éventuellement prendre le commandement du vaisseau, surtout si l'équipage l'apprécie plus que son supérieur. Mais si nous échouons?

— Le train poursuivra sa route vers Marseille... Donne l'ordre de repartir.

Le convoi s'ébranla. Au pont, près du terrain de jeux, Denis aperçut Beauharnais qui faisait signe de passer. Apparemment, les chevaliers auraient bloqué les voyageurs en faisant sauter les ouvrages d'art devant et derrière eux si ses réalisations leur avaient déplu... Plus loin, la voie décrivait une vaste courbe puis, après être passée sous l'autoroute, sinuait vers la gare de Toulon.

— Le *Charles de Gaulle* constituerait un si bel atout !

— Je ne crois pas au Père Noël. Mais c'est vrai que si nous arrivons à le contrôler, nos problèmes seront presque résolus : je disposerais d'une force de dissuasion au moins égale à celle du président, et il serait bien obligé de traiter avec moi ! J'espère quand même que nous n'aurons pas à nous en servir : ce serait terrible...

— Oui, mais s'il n'y a pas d'autre solution ?

— La nature humaine m'a tellement déçu... Autrefois, je ne l'aurais jamais accepté ; maintenant, j'en arrive à penser que la fin justifie les moyens !

Le capitaine n'en croyait pas ses oreilles : son pacifique ami changeait vraiment de jour en jour !

Le train s'arrêta comme prévu à la sortie de la gare, juste devant le pont Sainte Anne ; à droite, l'hôpital civil dont les murailles se dressaient à fleur d'eau, à gauche, la caserne Lamer et la préfecture.

Denis et Duval, escortés de six hommes, descendirent de leur wagon. Ils resteraient en communication radio avec leurs compagnons.

Ils grimpèrent sur le pont grâce à une échelle, puis se dirigèrent vers la mer par la rue des Dardanelles ; les bâtiments de la gendarmerie maritime formaient maintenant un embarcadère.

Un canot abrité sous un auvent les attendait ; en les entendant arriver, un enseigne de vaisseau emmitouflé jusqu'au cou, coiffé d'une cagoule sous son casque et arborant des lunettes foncées, lança un impératif :

— Qui va là ?

— Le professeur Roussel et son escorte.

— Avancez...

Le soleil, bas sur l'horizon, dardait ses rayons en plein sur les murs de la gendarmerie et le marin se tenait à contre-jour. Il attendit que Denis soit à côté de lui pour demander :

— Avez-vous une pièce d'identité ?

Le biologiste haussa les épaules : il y avait belle lurette que les organismes officiels n'en délivraient plus !

— Peut-être ma carte.

Il fouilla maladroitement sa poche et en sortit son portefeuille, d'où il extirpa le document suranné.

— Hum, d'accord. Et vous ?

— Capitaine Duval, voici mon livret militaire.

Cette fois, l'officier se trouvait en terrain connu.

— Parfait, je vous remercie, mon capitaine... J'ai ordre de vous emmener à bord ; comme le navire est vaste, des laissez-passer ont été établis à vos noms respectifs. Ainsi, vous n'aurez pas d'ennuis avec les patrouilles.

Ce disant, il tendait deux feuilles portant divers cachets.

— A présenter à toute réquisition, je suppose, gloussa Denis qui voyait réapparaître un passé révolu.

— Cela va de soi ! Veuillez prendre place dans le canot...

Aidés par les marins, les arrivants grimpèrent dans l'embarcation. L'enseigne s'installa à l'arrière et ordonna :

— Larguez les amarres... Débordez, souquez !

Les matelots s'escrimèrent sur les avirons et prirent la cadence. Apparemment, l'amiral n'avait pas jugé bon de gaspiller son précieux carburant pour des visiteurs d'aussi peu d'importance : il avait envoyé une simple barque à rames, comme au temps de la marine à voiles. D'ailleurs, plusieurs cotres se balançaient le long du quai improvisé ; sans doute étaient-ils utilisés pour l'inspection de la rade.

Ils passèrent au-dessus du stade Jaureguiberry pour gagner ce qui avait été la darse Vauban, où le *Charles de Gaulle* se trouvait mouillé. A tribord, on apercevait le sommet des toits de l'ancienne préfecture maritime. Enfin ils accostèrent la coque sale, piquée de taches de rouille faute de peinture, et s'amarrèrent à l'escalier de coupée.

L'officier se leva et désigna le bordé :

— Si vous voulez bien me suivre...

Denis se leva et franchit les bancs de nage d'un pas vacillant ; non seulement il n'avait pas le pied marin, mais il craignait en outre de faire chavirer le canot à moitié pourri. Heureusement, Georges le soutint de sa poigne solide, et il parvint sans baignade forcée aux degrés. Il fit toutefois, bien involontairement, tomber à l'eau le béret à pompon rouge d'un des marins qui le repêcha avec une gaffe en jurant après ces « nom de Dieu de culs terreux ». L'esprit de corps avait subsisté.

Au sommet des échelons, le sifflet poussa ses trilles réglementaires, saluant les nouveaux venus — surtout l'officier. Gueguen semblait avoir maintenu à bord une stricte discipline. L'escouade les encadra, se dirigeant vers le château rectangulaire dépourvu de hublots. A son sommet se dressaient, immobiles, les antennes radar, qui n'avaient plus rien à repérer depuis longtemps.

Au passage, le capitaine nota la présence de deux hélicoptères et de quatre Rafale III, en apparence prêts à décoller, cockpit ouvert. C'étaient des appareils bien désuets, mais étant donné les problèmes de maintenance, l'amiral avait quelque mérite à les garder ainsi en alerte. Quant aux avions, il ne conservait manifestement quelques chasseurs en état de marche qu'en cannibalisant les autres engins.

Ils durent baisser la tête pour franchir la porte blindée donnant sur le pont d'envol et débouchèrent dans une semi-obscurité. Tous ôtèrent leurs lunettes de soleil pour y voir un peu clair.

Dans la petite pièce adjacente, un officier attendait devant les ascenseurs. Il salua en disant :

— Capitaine de corvette Picard.

— Capitaine Duval...

— Professeur Roussel...

— Enchanté ! Si vous voulez bien me suivre, l'amiral a été prévenu de votre arrivée.

Denis admira la propreté des coursives, les uniformes impeccables bien que rapiécés : la discipline ne s'était vraiment pas relâchée ! Un hallebardier à l'ancienne mode montait la garde devant les appartements du pacha. Il présenta les armes aux visiteurs et annonça :

— Le capitaine Duval ; le professeur Roussel.

— Qu'ils entrent ! fit une voix bourrue.

Denis, habitué maintenant à la lumière des néons, admira le vénérable salon qui s'ouvrait devant lui : meubles d'acajou, fauteuils de cuir, culottés, certes, mais bien lustrés, bar portant un assortiment de bouteilles, et la moquette, usée jusqu'à la corde, devant la porte.

Le maître des lieux sortit d'un bureau adjacent aux parois tapissées de cartes, de notes de service et d'abaques. Main tendue, il s'avança vers eux. C'était un homme âgé, marqué par les responsabilités, les cheveux d'un blanc de neige. A sa pommette, une tache noire, probablement le début d'un mélanome qui ne tarderait pas à se généraliser.

Derrière lui, à deux pas, suivait respectueusement un autre amiral, plus jeune et alerte, aux yeux profondément enfoncés sous des sourcils épais. Seuls quelques fils blancs apparaissaient sur ses tempes.

La poignée de main de Gueguen était molle, celle de son second, énergique, et le pacha n'arrivait pas à contrôler le tremblement de ses mains. « Un Parkinson mal soigné, songea le biologiste. Et dire qu'on l'aurait presque sûrement guéri, il y a dix ans... Quelle pitié! »

— Messieurs, prenez place, je vous en prie! Je n'ai pas grand-chose à vous offrir. Un porto, peut-être?

Ils acquiescèrent, et une ordonnance gantée de blanc leur servit deux doigts de vin.

— A votre santé, messieurs!

— Merci. A la vôtre, amiral...

Denis apprécia en connaisseur l'arôme de ce cru, et la chaleur de l'alcool se dégagea en lui.

— Alors, que me vaut l'honneur de votre visite? Par les temps qui courent, c'est une aubaine que de rencontrer des compatriotes... Vous arrivez, je crois, de Sophia Antipolis, où se trouvent vos laboratoires?

La question s'adressait à Denis.

— Oui, amiral. Ainsi que je l'ai brièvement exposé par radio, mes recherches portaient sur les possibilités de sauvegarder diverses espèces végétales et animales, afin qu'elles puissent reprendre une existence normale à l'extérieur.

— Fichtre! Des travaux de première bourre, si je puis me permettre, mais combien ardus! Et vous seriez parvenu à des résultats tangibles, si j'ai bien compris?

— Exact. Voyez-vous, nous avions dans nos labos quelques spécimens de tet, une plante éthiopienne qui poussait à plus de trois mille mètres et était donc adaptée aux U. V. Et nous avons réussi à donner cette précieuse caractéristique à diverses plantes: la tomate, la pomme de terre et le maïs.

— Un joli tour de passe-passe, certainement, bien que je n'y connaisse rien! Ces légumes ont-il réellement poussé en plein soleil?

— Deux récoltes ont déjà amélioré notre ordinaire...

— Intéressant! Cependant, comme mes connaissances en la matière sont plutôt minces, j'en ai parlé à mes spécialistes; ils se sont montrés quelque peu réticents. Oh, ils vous connaissent de réputation et savent que vous êtes un éminent spécialiste en génétique, mais il paraît aussi que vos travaux ont été blâmés par les comités d'éthique et vos crédits suspendus.

— C'est vrai en ce qui concerne la zoologie. Cela ne m'a pourtant pas empêché de persévérer.

— Fort judicieusement, semble-t-il, si vous avez réussi de telles manipulations. Loin de moi l'idée de mettre en doute vos assertions, professeur, mais vous comprendrez que j'ai besoin de preuves tangibles...

— Aussi vous en ai-je apporté: tout d'abord, ces diapositives, montrant nos plantes à divers stades de leur croissance, d'abord *in vitro,* puis sur terreau, en plein soleil.

L'amiral fit un signe. Un technicien vint prendre les boîtes que Denis avait sorties de sa serviette, puis un grand tableau représentant la bataille d'Aboukir glissa, démasquant un écran.

Gueguen poursuivait en même temps:

— Selon vos messages, vos recherches dans le domaine de la zoologie ont aussi été couronnées de succès...

— Là, il s'agissait de protéger la peau grâce à une mélanine plus active, et surtout de sauvegarder les yeux. Nous avons réussi, toujours par modification du code génétique des sujets.

— N'aviez-vous pas parlé aussi de nouveaux hommes, de tragines?

— Transgènes. Bien sûr, mes recherches ont aussi été dirigées dans ce sens. Malheureusement, l'humain est un animal très évolué, et je n'ai pas encore obtenu de résultats concrets.

— Que voudriez-vous réaliser au juste?

— Oh, un rêve : un homme capable de vivre normalement à l'extérieur, au soleil, sans risque de cancers cutanés, et dont la vision serait parfaite eu égard aux nouvelles conditions climatiques.

— Mais ces transgènes constitueraient une race nouvelle susceptible de remplacer l'*homo sapiens*!

— Non, amiral, ils feraient toujours partie de cette race. Simplement, ils seraient adaptés à la Terre telle est à présent et ne seraient donc pas réduits à vivre en troglodytes.

— Ce serait tout à fait merveilleux, surtout que grâce à vous, il disposeraient à nouveau d'une flore et d'une faune susceptibles de les nourrir.

— La partie ne serait pas gagnée pour autant : nous n'avons les codes génétiques que de quelques espèces. Pour l'instant, les autres sont condamnées à disparaître.

— Quelle importance, si celles que vous pouvez modifier suffisent à assurer la subsistance de l'humanité?

— Immense! Je vais vous donner un exemple : en 1846, le mildiou a ravagé toutes les plantations de pommes de terre car on n'en exploitait qu'une seule variété. Ça a été la catastrophe! Voyez-vous, plus on a d'espèces — et dans ces espèces, de variétés —, moins on risque de voir un parasite répandre la famine. C'est pourquoi il faut que je visite tous les endroits susceptibles d'abriter des graines diverses en bon état : je dois en adapter le plus possible pour augmenter nos chances.

— Je comprends… Et où comptez-vous aller?

— Dans les universités, dans certaines usines spéciali-sées. Je sais aussi qu'il y avait aux Philippines un Institut du riz, un du maïs au Mexique, un de la pomme de terre au Pérou… Il est capital de récupérer ces espèces et de les traiter selon ma méthode ! C'est pourquoi il faut que je montre mes réalisations au monde entier. Le train est parfait pour l'instant, mais plus tard, il me faudra un autre moyen de transport. Quoi qu'il en soit, j'espère déjà découvrir à Montpellier des variétés de blé.

— Professeur, vous m'avez convaincu ! Si c'était en mon pouvoir, je vous octroierais volontiers une corvette ou deux pour faciliter vos déplacements. Malheureus-ement, elles fonctionnaient au mazout, et nos stocks sont dérisoires. En ce qui concerne les bâtiments à propulsion nucléaire, comme le croiseur *Gloire* ou ce porte-avions, je ne peux en disposer sans ordre exprès du président. Il faut que vous alliez à Paris lui parler de tout cela. Personnellement, je suis tout à fait d'accord avec vous… quoique j'avoue être content que vos recherches n'aient pas abouti en ce qui concerne les humains. Ces choses-là ont un parfum de soufre… Mais je meurs d'envie de contempler vos photographies. Démarrez la projection !

La lumière s'atténua et l'obscurité tomba sur l'assis-tance.

CHAPITRE VI

Soupçonnant la défiance de l'amiral à l'égard des transgènes humains et sa stricte obédience au pouvoir officiel, fût-il fantoche, Denis n'avait pas donné la boîte des diapositives montrant Paul et Virginie, avec leur peau d'un noir d'encre, s'ébattant en plein jour sans la moindre protection. La projection terminée, Gueguen ordonna :

— Servez donc un doigt de porto à ces messieurs.

Pendant que l'on rendait ses biens au biologiste, le militaire sirota son verre en méditant. Enfin, il déclara :

— J'avoue, à ma grande honte, avoir complètement ignoré les réalisations de la biologie moderne. Ainsi, vous sectionnez à volonté n'importe quel A. D. N. et y ajoutez des morceaux conduisant à la modification de tel ou tel organe ou telle ou telle fonction...

— Je serai plus modeste, amiral : cela n'est possible que lorsque des études préalables ont permis de déterminer l'emplacement de ces codons. Leur carte était déjà dressée pour beaucoup d'espèces, ce qui a facilité notre tâche. Lorsque nous avons utilisé des plantes moins courantes, nous avons dû d'abord effectuer ce travail.

— Et pour l'homme ? s'enquit le marin.

— La génétique humaine et ses cartes chromoso-
miques sont bien connues depuis le début du siècle. Si
nous voulions nous doter de caractéristiques nouvelles,
prises par exemple au dauphin, il faudrait recourir à une
banque génétique. Dans le cas où ce que nous voudrions
ne serait pas répertorié, nous n'aurions plus qu'à nous
débrouiller...

— Mais que diable envierions-nous au dauphin ? grogna le vieux loup de mer.

Denis se rendit compte qu'emporté par sa fougue, il
s'était aventuré en terrain dangereux.

— Oh, rien de particulier ! fit-il en souriant. J'illus-
trais seulement mon propos.

Pour la première fois, Le Goff intervint :

— Excusez-moi, professeur, il me semble avoir lu
jadis un article sur le sujet. Certains chercheurs propo-
saient de transformer l'homme afin de lui permettre de
vivre sous l'eau. Ces phocènes, comme ils les appelaient,
auraient formé une nouvelle branche de l'humanité. Ils
auraient habité les océans, auraient veillé sur
d'immenses élevages de poissons et seraient devenus les
meilleurs des nageurs de combats...

— Effectivement, quelques biologistes y ont songé.
Ce n'étaient que chimères...

— J'espère bien ! rugit Gueguen. Quelle ignominie !
Ces malheureux auraient été complètement séparés de
leurs ancêtres, incapables de mener une existence normale...

— Pourtant, si ma mémoire est bonne, insista Le
Goff, les Russes, avant la catastrophe, ont effectué des
essais sur des cosmonautes. Ils voulaient améliorer leur
métabolisme du calcium en apesanteur. On a même dit
que les colons de la base martienne étaient le fruit

d'expériences de ce type, ce qui expliquait pourquoi ils pouvaient vivre là-bas, avec seulement un tiers de g.

— Pas étonnant de la part de ces athées! gronda l'amiral. Quelle audace d'oser modifier l'œuvre du Créateur!

« Et pourtant, songea Denis, ces gens doivent être bien contents d'être adaptés à leur planète, surtout maintenant qu'ils sont coupés de la Terre! »

A haute voix, il se contenta d'affirmer:

— Rien n'a officiellement transpiré de ces manipulations, et en tout cas, rien de tel n'a été réalisé en France.

— C'est heureux! conclut Gueguen. Mais revenons à nos moutons… J'ai affronté de déchirants problèmes d'effectifs car nos stocks de nourriture étaient insuffisants. C'est pourquoi je n'ai maintenu en activité que le *Gloire* et le *Charles de Gaulle,* les fleurons de notre flotte. Actuellement, nos provisions fondent et nous n'avons aucun espoir de les renouveler. Vos pommes de terre, vos tomates et votre blé, si vous dites vrai, nous tireraient définitivement d'affaire! Pardonnez ma franchise, je ne voudrais pas me montrer insultant, seulement, une photo est une chose, la réalité une autre. Laisseriez-vous un de mes spécialistes examiner vos plants?

— Cela va de soi! S'il est convaincu, je pourrai même vous en donner quelques-uns. Oh! Ne comptez pas sur une récolte mirifique la première année: vous aurez besoin des graines pour semer. Mais au bout de deux ou trois ans, l'alimentation de vos hommes serait assurée.

— Merci de votre coopération!

— Si vous le permettez, amiral, reprit Le Goff, j'aimerais être désigné pour cette inspection. La botanique a toujours été mon violon d'Ingres.

— J'en serai ravi: j'aurai ainsi le rapport d'un collaborateur qualifié en qui j'ai toute confiance.

— Malheureusement, la nuit tombe. Nous ne pourrons nous rendre compte que demain matin, nota son subordonné.

— Alors, je vous convie à partager notre maigre pitance, déclara Gueguen.

— Nous acceptons volontiers, à condition toutefois que vos cuisiniers préparent les tomates et les pommes de terre que nous vous avons apportées.

— Ont-elles poussé en plein soleil?

— Oui, à Antibes.

— Quel dommage de les manger! Il faudrait les garder pour avoir des plants, remarqua Le Goff.

— Nos stocks sont suffisants pour que nous en consommions une partie.

Avant le repas, Le Goff fit visiter à ses hôtes l'imposant porte-avions, ses hangars, ses installations radar, ses machines où l'énergie atomique produisait assez de kilowatts pour alimenter une vaste cité et qui fonctionneraient encore pendant trois ans sans recharge. Puis ils revinrent sur le pont, sous prétexte d'admirer le *Gloire,* mouillé à quelques encablures.

Les officiers qui les avaient accompagnés jusqu'alors étaient restés dans le château, aussi le contre-amiral put-il parler seul à seu! avec Roussel.

— Vous savez, assura-t-il, je ne partage absolument pas les vues mystiques du vieux sur le caractère sacrosaint de l'*homo sapiens*. Notre espèce provient d'une longue évolution — avant elle, les Australopithèques, les Pithécanthropes puis l'homme de Néanderthal se sont développés — et rien ne prouve que nous en soyons le stade ultime.

— Je constate avec plaisir que vous ne vous intéressez pas seulement à la botanique, répondit prudemment Denis, désireux de ne pas tomber dans un piège.

— Selon moi, insista son interlocuteur, tout essai pour créer des races mieux adaptées à l'environnement est bénéfique. J'espère bien pour eux que les Martiens sont des transgènes, et quant à la Terre, s'il s'y était trouvé des hommes-poissons, eux au moins n'auraient pas souffert de la disparition de la couche d'ozone puisque les U. V. ne pénètrent pas très profondément dans l'eau.

— C'est très probable, acquiesça le biologiste.

— Croyez-moi, mon cher, si j'étais à votre place et que je disposais de vos connaissances, je ne me contenterais pas de travailler sur les plantes et sur quelques animaux : je m'attaquerais à l'homme ! A condition que ce soit réalisable, bien sûr.

— Ce n'est nullement utopique !

— Alors, qu'attendez-vous ? Nous sommes condamnés à une existence de troglodytes, à moins de sortir emmitouflés comme des Targui ! Et pour cultiver vos merveilleux légumes, il faudra bien vivre au grand air, ce qui reviendra pour les agriculteurs à porter en permanence une combinaison de plongée. Alors que si vous arrivez à transformer l'être humain, il aura une deuxième chance. Il ne lui faudra que quelques générations pour reconstruire une civilisation : de nombreuses usines sont récupérables ; dans deux siècles, elles ne le seront plus !

L'ardeur du marin ne semblait pas feinte. Se décidant à sauter le pas, Denis posa la main sur son bras et assura :

— Ne craignez rien, mon cher, c'est chose faite...

— Quoi ? Vous voulez dire... Mais c'est formidable ! Et vous avez bien fait de ne pas le raconter à Gueguen : dingue comme il est, il aurait été capable de supprimer vos transgènes. Combien sont-ils ?

— Deux, une fille et un garçon.

— De quel âge ?

— Six mois.

— En créerez-vous d'autres ?

— Plusieurs mères porteuses sont restées à Antibes, et Myriam, ma compagne, commence une nouvelle grossesse.

— Vous êtes vraiment un génie ! Comment avez-vous fait ?

— J'ai perfectionné la mélanine de la peau des Noirs.

— Alors, vos poupons sont des négrillons ?

— Non : ils ont la peau noire, mais leurs autres caractères proviennent de la race blanche. Rien n'empêche cependant de faire de même avec des sujets d'autres races.

— C'est fabuleux ! Et quelles sont vos intentions, si toutefois je ne suis pas indiscret ?

— Répandre les transgènes dans toute la France, puis dans le monde.

— Tel est donc le but réel de votre voyage…

— La recherche de graines et d'animaux survivants est aussi d'une extrême importance : les humains du futur devront disposer d'une flore et d'une faune aussi diversifiées que possible.

— C'est une tâche grandiose ! De quels moyens disposez-vous ?

— De quelques amis dévoués, d'une compagnie de soldats, de blindés légers et d'un hélicoptère.

— Dérisoire ! Pourquoi ne pas avoir fait connaître vos réalisations au président Vadier ?

— Les informations que je lui ai données ont été jugées sacrilèges par les vieilles barbes qui l'entourent. Les survivants des comités d'éthique en sont restés aux ukases des temps révolus. Pour un peu, on aurait envoyé des inquisiteurs afin de me faire abjurer, comme Galilée, et de stopper ces travaux impies !

— Incroyable! Et dire que cette foutue baille reste ici à rouiller, alors qu'elle pourrait vous aider à propager vos connaissances et à redonner vie à la Terre!

— En dehors de ces deux navires, peut-être en existe-t-il d'autres capables de naviguer?

— Sûr! Il suffirait de quelques révisions. Mais on manque de mazout.

— Même pour servir d'appui à des commandos?

— Fichtre, vous n'y allez pas avec le dos de la cuillère! Mais voyons la situation: les matelots haïssent Gueguen, qui a délibérément voué leurs copains à la mort. Entre-nous, il y était bien forcé, seulement le fait est là: ils le tiennent pour responsable. Le capitaine de vaisseau Cradech, qui commande le *Gloire*, est un vieil ami; il partage mes opinions. Mais de là à l'entraîner dans une mutinerie...

— Le président dispose-t-il toujours de la force de frappe?

— Les missiles basés à terre sont inopérants: les gardiens des silos sont morts d'inanition. Il reste quelques Rafale III à Dijon: leurs mécaniciens ont fait comme les nôtres: ils ont cannibalisé les appareils en plus mauvais état afin qu'un minimum reste opérationnel. Quant aux sous-marins nucléaires, il n'y en a plus que deux en état de marche, à Brest: plus assez de combustible fissile pour recharger les réacteurs.

— Pensez-vous que Vadier utiliserait ses avions, voire ses missiles nucléaires, pour détruire le *De Gaulle* s'il entrait en rébellion?

— Difficile à dire... Tout dépendrait des armes dont vous disposeriez. Le Q.G. de Taverny est pratiquement invulnérable à nos engins atomiques, alors qu'ici, nous constituons une cible de premier choix; et il n'y a plus rien à redouter pour les civils puisqu'ils sont tous morts.

— Par conséquent, la mutinerie est impossible...

— Pas vraiment. Nombre d'officiers — dont moi — envisagent cette perspective, d'autant qu'ils sont assurés de l'appui des matelots. Il serait facile de destituer le pacha sans en avertir Paris. Je possède tous les codes car il se sait condamné : le toubib a diagnostiqué une leucémie.

— Alors, laissons la maladie suivre son cours.

— Il vaut mieux pas : Paris nommera et enverra un remplaçant. Non, il faudrait l'évincer rapidement si vous voulez notre appui.

— Je suis un homme de science, pas un stratège. Vous en discuterez demain avec Duval, qui a toute ma confiance — comme vous d'ailleurs.

— Merci ! Nous vous soutiendrons à fond ! Seulement il faut me promettre de ne pas en rester là.

— Que voulez-vous dire ?

— Eh bien, il faudra contacter ceux de Dijon et les convaincre de se ranger à nos côtés, et aussi aller à Brest pour mettre dans notre camp les commandants des deux submersibles nucléaires.

— Je ne pense pas pouvoir le faire... Ils n'ont jamais entendu parler de moi.

— De moi, si : ce sont des copains de l'école navale. Eux aussi détestent Gueguen et pensent que l'attitude du président devant la catastrophe a été déplorable.

— J'ai scrupule à vous engager dans une entreprise aussi risquée...

— Au contraire, je vous en suis reconnaissant : ici, nous n'avions plus d'idéal, plus d'espoir, nous croupissions dans l'inaction. Alors qu'à partir de maintenant, nous allons nous battre pour une cause formidable ! Pour que la Terre reverdisse, que des animaux s'y ébattent, que nos descendants y vivent dans l'abondance !

106

L'enthousiasme du marin ragaillardit Denis : il sentait qu'il avait là un nouvel allié sur lequel il pouvait compter. Pourtant, l'immensité de sa tâche l'effrayait : il ne savait plus très bien juger de la priorité des objectifs. Fallait-il amasser semences et codons dans les banques génétiques ou faire passer en premier l'action politique ?

Car il ne pouvait plus en douter : tant que des vieux birbes sclérosés comme Gueguen et Vadier seraient au pouvoir, non seulement on ne l'aiderait pas, mais on essaierait même de l'empêcher d'agir, quitte à l'emprisonner.

Une ordonnance s'approcha d'eux :

— L'amiral me charge de vous annoncer que le dîner vous attend.

— Allons-y...

Le repas, bien que servi très protocolairement — porcelaines de Limoges et verres de cristal — s'avéra plus que frugal. Des nouilles charançonnées, des conserves de singe arrosées du vin aigre de l'intendance, bref, de quoi rester sur sa faim. Seules les pommes de terre et les tomates apportèrent une note gaie, mais Denis, sachant que ses hôtes en avaient presque perdu le goût, s'en priva bien volontiers. Cette orgie terminée, on offrit des cigares moisis et une eau-de-vie qui devait aussi servir à décaper les cuivres.

Enfin, Gueguen prit congé :

— Merci de votre visite, messieurs, et un immense merci pour tous les plants que vous pourrez nous fournir. Demain matin, Le Goff se rendra à votre train. Je suis tout disposé à vous héberger pour la nuit, mais je pense que vous préférerez rentrer à votre bord...

— En effet. Je pourrai ainsi donner des ordres afin qu'on prépare des pots et des graines. Vous aurez plus rapidement vos nouvelles cultures.

— Encore merci, professeur, et bonne nuit !

On se serra la main et les visiteurs regagnèrent l'embarcadère en canot, toujours propulsés par des rameurs qui, visiblement, avaient grande envie d'aller se coucher.

La gare se trouvait à deux pas : un quart d'heure après avoir quitté le porte-avions, Denis retrouvait avec plaisir sa couchette et relatait à sa compagne le résultat de ses discussions.

Myriam se dressa comme une chatte en colère, s'écriant :

— Que veux-tu, au fond ? Faire connaître tes découvertes ou t'emparer du pouvoir ? J'admire sans réserve ton travail de chercheur, mais tu m'avais toujours dit que la politique te dégoûtait, que tu désirais avant tout vivre en paix avec ta conscience...

— Myriam, mon opinion n'a pas changé. Seulement les politiciens ont fait beaucoup de mal en refusant de subventionner mes recherches. A l'époque, cela ne concernait que moi, pas la survie de l'humanité, mais je viens de me rendre compte que si je n'impose pas mes vues, ces imbéciles voudront une fois de plus me contrer.

— Gueguen s'est-il donc montré si hostile à tes projets ?

— Pas tant qu'il s'agissait d'une nourriture inespérée, grâce aux plantes et aux animaux. Par contre, dès qu'on a abordé les problèmes des humains, il s'est bloqué.

— Vadier se montrera peut-être moins borné ?

— Le président a toujours la même clique de conseillers, son opinion sera identique : modifiez la structure génétique des animaux et des végétaux tant que vous voulez, mais ne touchez pas à l'homme !

— Tu peux tout de même essayer de le convaincre : la situation n'est plus ce qu'elle était...

— Ecoute, j'ai longtemps patienté, j'ai subi les moqueries et l'incompréhension. Maintenant, de braves types comme Duval et Le Goff ont compris la grandeur de notre projet et sont prêts à nous aider, par la force s'il le faut. Nous agirons avant qu'il ne soit trop tard !

— Alors, Grand Chef, qu'ordonnes-tu ? D'attaquer Taverny avec des bombes atomiques ? L'abri a été conçu pour y résister, tu sais...

— Trêve de plaisanteries ! Je suis conscient que cela ne mènerait à rien. Non, ma position est simple : je veux disposer d'une puissance suffisante pour que mes transgènes humains soient protégés et que personne ne puisse les détruire.

— Voyons, tu ne penses tout de même pas que Vadier lancerait des missiles nucléaires contre les colonies que nous implanterons !

— Peut-être n'irait-il pas jusque-là, encore que ce ne soit pas certain si des excités lui dépeignent nos successeurs comme des démons maléfiques. Mais il pourrait très bien expédier des commandos aéroportés pour capturer nos gosses et les mettre au secret, voire les éliminer.

— Mes petits, parqués comme des bêtes !

— Et stérilisés, pour ne pas procréer.

— Arrête ! D'accord, tu as raison. Seulement, pour l'instant, il ne s'agit que de suppositions étayées par quelques indices ; des éventualités, pas des certitudes. Tu sais que Gueguen est contre les transgènes, mais en ce qui concerne Vadier, tu extrapoles. La situation est tellement catastrophique que le simple bon sens parle en faveur de nos idées. Alors, avant de te lancer dans une attaque quelconque, promets-moi de le mettre au courant des possibilités offertes par cette mutation — sans omettre d'évoquer les phocènes et les spationautes.

— Myriam, tu me demandes l'impossible : un homme averti en vaut deux ! Si je lui fournis tous ces renseignements, il n'aura rien de plus pressé que de nous éliminer !

— Tu n'en sais rien ! Denis, notre monde n'a vraiment pas besoin de violence ! Pose-lui la question, il te suffira de lui cacher l'emplacement des installations.

— Nous sommes donc d'accord : je l'avertirai, seulement je prendrai mes précautions avant.

— Je te retrouve enfin ! Oublions ces horreurs, sinon je n'aurai plus le courage d'avoir d'autres enfants...

Emporté par le désir, Denis ne pensa plus à grand-chose dans les moments qui suivirent. Pourtant, si Myriam avait pu déchiffrer ses pensées, elle n'aurait pas été réellement rassurée quand il la quitta.

En effet, le plan de Denis consistait bien à divulguer ses découvertes au président, mais seulement partiellement, en conservant un moyen de pression, lorsque Le Goff aurait rallié les équipages des deux navires à sa cause et entraîné avec lui les commandants des submersibles de Brest !

Le lendemain matin, le biologiste était cependant d'humeur charmante, et sa compagne fut ravie de le trouver en de si bonnes dispositions.

— Ta promesse tient toujours ? s'enquit-elle.

— Absolument. Je fournirai tous les éléments au président afin qu'il juge en connaissance de cause.

— Merci, mon chéri...

Elle l'embrassa tendrement et tous deux prirent leur petit déjeuner de bon appétit.

Ils avaient à peine terminé qu'un planton annonça Le Goff, accompagné d'une petite escorte. Myriam fila au laboratoire pour s'assurer que tout était préparé et Denis se porta à la rencontre de l'officier. Il l'accueillit devant le wagon.

110

— Ravi de vous revoir! assura le biologiste.

— Moi de même...

— Vous êtes toujours d'accord?

— Tout à fait! J'en ai parlé à quelques amis sûrs; ils me soutiendront à fond, si toutefois les faits confirment vos dires.

— Alors, ne perdons pas de temps. Montez, je vous en prie!

— Commençons par vos mutants: je meurs d'envie de les voir, j'y ai pensé toute la nuit.

— Nous allons donc rendre visite à Paul et Virginie.

Les deux hommes, engoncés dans leur combinaison protectrice, les yeux protégés par des lunettes, pénétrèrent dans le solarium où les deux bébés s'ébattaient en plein soleil.

— Mille sabords! C'est à n'y pas croire! Vous n'avez pas de dispositif filtrant au plafond?

— Voyez vous-même...

L'amiral grimpa sur une échelle et se retrouva au-dessus du wagon, à l'air libre. Il redescendit.

— En effet. Puis-je appeler le médecin-major qui m'accompagne? Vaugan est un type sûr.

— Faites!

Le Goff ouvrit la porte du compartiment.

— Vaugan, venez donc...

L'officier entra. Son masque dissimulait son visage, mais le son de sa voix traduisait assez sa stupeur lorsqu'il balbutia:

— Ils... ils sont réels?

— Bien sûr!

— Je voudrais les prendre dans mes bras...

— Je vous en prie.

L'arrivant souleva Paul et le contempla comme s'il était la septième merveille du monde.

— Ce n'est vraiment pas un hologramme, vous avez réellement provoqué une mutation permettant à leur peau de supporter les U.V.!

— Leurs cornées filtrent aussi les radiations nocives, et leur système immunitaire est renforcé.

— Oh, maintenant, je suis convaincu. Vous pouvez lui faire confiance, amiral, ce n'est pas un charlatan: autrement, avec une peau aussi noire, ces enfants auraient des caractères négroïdes.

— Professeur, pouvons-nous trouver un endroit discret pour parler de nos projets?

— Mon bureau se trouve dans ce wagon. Suivez-moi!

Ils se rendirent dans le compartiment où le biologiste conservait ses plus précieux documents. Les visiteurs s'installèrent dans des fauteuils, tandis que Denis prenait place derrière sa table de travail.

— Je vous écoute…, déclara-t-il simplement.

— Eh bien, comme il n'y a pas de temps à perdre, j'ai déjà rencontré discrètement le commandant Cradech du *Gloire* et lui ai exposé vos découvertes. Dans l'éventualité où ma visite lèverait mes doutes — ce qui est le cas — il accepte avec enthousiasme de vous seconder.

— Et son état-major?

— Il lui est dévoué et le suivra quoi qu'il fasse. L'inaction nous pesait à tel point que de nombreux officiers se sont suicidés: plus d'idéal, plus de famille, aucun espoir de sauvegarder les valeurs de notre civilisation… rien ne les rattachait à la vie. J'y ai moi-même songé plus d'une fois. Vos réalisations redonnent un but à notre existence.

— Iront-ils jusqu'à se mutiner pour prendre le commandement du navire?

— Sans le moindre doute et les hommes les suivront!

— Et vous, pourrez-vous dans le même temps évincer

Gueguen et le remplacer à bord du *De Gaulle*? insista Denis.

— Dans deux jours, ce sera chose faite : il y a à bord un comité clandestin qui n'apprécie pas du tout le vieux. Déjà, il s'en est fallu d'un cheveu qu'il ne soit destitué lorsqu'il a décidé de chasser une partie des équipages. Seulement à ce moment-là, nous n'avions aucune perspective d'avenir, ce qui explique que nous lui ayons finalement laissé ses fonctions.

— Ne craignez-vous pas des représailles de Paris ?

— Nous avons étudié la question : il serait de beaucoup préférable que le président ignore la situation. Nous n'avons de contact avec la capitale qu'une fois par semaine, et Gueguen parle rarement lui-même : c'est le radio du bord qui expédie un message codé signalant ce qui se passe à bord. Comme j'ai tous les codes, nous n'aurons pas de problème.

— Supposons que Vadier insiste pour parler à Gueguen ?

— Nous dirons qu'il est très malade, puis à l'agonie, et enfin mort. Cela nous donnera un répit : le temps que Paris envoie un successeur par avion.

— Vous ne pensez pas être désigné ?

— Si, c'est possible : cela leur éviterait de gaspiller du kérosène. Il est même assez probable que je sois nommé à ce poste au moins à titre transitoire, car je suis le seul à bien connaître le porte-avions.

— Il est donc impératif qu'aucun message radio n'alerte Paris.

— La chambre de l'amiral et le local télécom sont nos deux premiers objectifs, assura Le Goff. Qui plus est, Gueguen est en mauvaise santé. Paris le sait, et personne ne sera étonné de sa mort.

— Vous n'avez pas l'intention de le tuer ?

113

— Non. Si tout se passe bien, il finira ses jours à l'infirmerie.

— Je préfère ça...

— A mon tour de vous questionner, si vous le permettez, professeur, intervint le major.

— Faites...

— Selon moi, il faut mettre un plan sur pied pour permettre la renaissance d'une population vivant à l'extérieur. L'amiral Le Goff m'a donné quelques détails : je sais que vous nous avez fourni des plants résistants aux U.V., par exemple. Mais cela ne suffira pas à relancer une écologie détruite...

— Tout à fait d'accord ! Il faudra recréer des forêts — à ce propos, nous venons d'élaborer un chêne capable de résister aux conditions nouvelles —, d'innombrables plantes, mais aussi les insectes indispensables à leur pollinisation.

— Ne pouvez-vous les rendre anémophiles ? Le vent ne fait pas défaut...

— A la rigueur, si. Seulement plus il faut coder de caractères nouveaux sur un génome, plus le travail est compliqué. Mes techniciens sont au point pour adapter les végétaux aux U.V., un autre changement nous retarderait énormément, d'autant que je ne dispose que d'une petite équipe. Même si vos collaborateurs se joignent à nous, il faudra les entraîner, et quoi qu'il arrive, nos effectifs resteront toujours insuffisants vu l'immensité de la tâche.

— Je comprends parfaitement ! Donc, vos objectifs consistent à récupérer autant de graines que possible et à modifier leur patrimoine génétique... Et les insectes ? Comment espérez-vous en trouver ?

— En les traquant là où certains ont survécu. Dans les égouts et les grottes, les charognes n'ont pas dû manquer pour les nourrir.

— D'accord pour les mouches et les coprophages, mais les abeilles, les papillons?

— Dès le début de la catastrophe, nous avons essayé de sauver le maximum de plantes et d'insectes à Sophia Antipolis. Nos stocks de miel nous ont permis de préserver les abeilles ainsi que plusieurs espèces de papillons. Et puis pas mal de ces petites bêtes se moquent des U.V.: les fourmis, par exemple, s'en accommodent très bien, et les espèces nocturnes aussi. Quant à la nourriture... Nous avons bien vu voler une chauve-souris la nuit dernière: elle avait donc trouvé pitance...

— Splendide travail! L'humanité vous devra une éternelle reconnaissance. Reste à espérer qu'à Paris et dans les centres universitaires en général, d'autres aient agi de même... Oui, la Terre reverdira... En fait, le plus difficile risque d'être les transgènes: ils feront peur à certains!

— Ce qui est parfaitement stupide! Est-ce qu'il y a compétition entre les poissons et nous? Les hommes « normaux » comme nous se réserveront les tâches pouvant être accomplies à l'intérieur, dans les usines en particulier, alors que les transgènes s'occuperont de tout ce qui se fait à l'extérieur, notamment l'agriculture. Nous pourrons même doter certains de l'appareil respiratoire des dauphins, afin qu'ils puissent vivre dans les océans. Ceux-là se consacreront aux fermes à poissons, et les trois sortes d'humains vivront en harmonie, chacune dans son domaine.

— Ce sera merveilleux! s'exclama le médecin. Mais dans l'immédiat, quelles sont vos intentions?

— L'assistance de la flotte de Toulon, appuyée plus tard par celle de Brest, me placera en position de force. Toutefois, je partage l'avis de Le Goff: retardons les ennuis au maximum. Dès que vous aurez pris le contrôle, pacifiquement je l'espère, de tous les bâtiments de la rade et que vous aurez la situation bien en main, je poursuivrai mon voyage. Il faut que je sache si à Marseille ou à Montpellier, il est possible de trouver de nouveaux collaborateurs et surtout des banques génétiques. Si tout va bien, je terminerai par Lyon et Paris.

— Nous resterons en liaison, et voici un dispositif électronique qui codera automatiquement vos messages, déclara l'amiral en tendant à Denis un petit appareil. Dans le cas où votre hélicoptère aurait des problèmes, je vous le remplacerai : il faut que vous puissiez vous déplacer à votre guise et sans risques. Même s'il fallait déclencher un bombardement, vous pouvez compter sur moi.

— Oh, les vrais problèmes ne commenceront qu'à Paris ! S'ils m'envoient promener, comment viendrons-nous à bout de Taverny ?

— Professeur, ces questions sont de notre ressort, nous les étudierons. Allons rejoindre le capitaine Duval pour coordonner notre action.

— Je vous remercie du fond du cœur. J'ai combattu seul tant d'années pour défendre mes idées...

Quelques minutes plus tard, Duval pénétrait dans le P.C. improvisé. Ses lieutenants le rejoignirent peu après.

Pour les voyageurs et les marins, ce jour modifiait à jamais l'avenir de l'humanité.

CHAPITRE VII

Le convoi resta en gare pendant deux jours. Par bonheur, le temps était nuageux et la chaleur supportable dans les wagons. La motrice tournait au ralenti, alimentant les laboratoires en électricité. Quelques dynamos suffisaient pour les usages ménagers. Les enfants, habitués au bercement du train, pleuraient souvent.

Denis et Myriam travaillaient sur les nouveaux chênes, tandis que Le Goff menait son action subversive, comme il l'avait promis, profitant de son temps libre pour rendre visite à son ami Cradech, sur le *Gloire*.

Le chevalier d'Orsaix, vêtu pour l'occasion d'un jean tout à fait banal, s'annonça à l'improviste aux sentinelles des wagons dès le crépuscule du premier jour.

Il fut introduit dans le bureau de Denis et, délaissant son jargon moyenâgeux, interrogea fiévreusement :

— Alors, les marins se sont-ils montrés raisonnables ? Je n'ai pas eu la patience d'attendre votre visite...

— Pourtant, je comptais bien me rendre à votre fort à la tombée de la nuit. Mais je vous comprends parfaitement : l'affaire est d'une telle importance ! Ma foi, je crois pouvoir compter sur Le Goff !

— Il accepte de limoger Gueguen ?

— Il me l'a assuré.

— Et quand prendra-t-il le pouvoir?

— Dès qu'il le pourra, ce soir ou demain. Nous sommes en liaison radio avec lui.

— Lui avez-vous parlé de nous?

— Absolument pas...

— De toute manière, nous masserons nos chevaliers près des postes de garde. Si Le Goff a besoin de nous, nous serons là.

— Ne vaudrait-il pas mieux le prévenir?

— Ce sera fait. Je vous l'ai dit, nous avons des intelligences dans la place. Viendrez-vous quand même ce soir?

— Je préférerais rester à la disposition de Le Goff, mais je vous enverrai un de mes assistants. Il apportera des plants résistants, et de votre côté, vous lui remettrez des échantillons des légumes dont nous ne disposons plus, ainsi qu'un couple de lapins et de poulets, comme vous me l'aviez proposé.

— Chose promise, chose due! D'ailleurs, nous avons conscience de l'importance de vos travaux!

— S'il y a du nouveau d'ici là, j'en avertirai mon envoyé...

— Oui, mais j'aimerais maintenir une liaison: émettez sur 98 F.M., nous vous écouterons.

— Je constate avec plaisir que votre société pseudo-médiévale a conservé, malgré tout, la technologie moderne!

— Nous sommes des scientifiques, je vous le rappelle. Nous avons sauvé tout ce que nous avons pu. Seule notre structure sociale est calquée sur celle du Moyen Age.

— Alors, peut-être pourrons-nous échanger aussi certaines pièces détachées et des fournitures, par exemple des papiers pour électrophorèse?

— J'espère que nous en avons en stock... Etablissez une liste, nous ferons de notre mieux pour vous satisfaire. De notre côté, nous vous demanderons des engrais.

— C'est entendu!

— Messire, je vous quitte! Que le Seigneur vous ait en Sa sainte garde! Que votre génome croisse et se multiplie!

Après le départ de son visiteur, Denis resta songeur: ces hurluberlus provenaient-ils d'une université privée ou d'un cercle celtique? Quoi qu'il en soit, seule comptait leur motivation. Il ne pouvait dédaigner nul allié! En outre, les apports génétiques des espèces qu'ils avaient réussi à sauver seraient inestimables. Après ces réflexions, le biologiste se replongea dans son travail.

Pendant ce temps, Le Goff mettait les bouchées doubles. Voulant à tout prix persuader son compagnon d'armes de le seconder dans cette aventure, il lui rendit visite. Cradech, bien qu'à moitié convaincu, aurait peut-être du mal à sauter le pas pour devenir mutin...

Le commandant du croiseur nucléaire reçut son ami dans sa cabine.

— Alors, quoi de neuf?

— Pour une fois, du sensationnel, mon vieux...

Là-dessus, l'amiral conta en détail sa visite à bord du train, dépeignant toutes les réalisations de Denis avec enthousiasme.

— J'imagine déjà des Bretons tout noirs plantant leurs choux-fleurs et leurs artichauts en plein soleil! s'extasia Cradech. Bon sang! Si je n'avais pas tellement confiance en toi, je n'y croirais pas! Et comment compte-t-il propager leur descendance pour repeupler la Terre?

Le Goff résuma les plans du scientifique et conclut:

— Notre aide lui est absolument indispensable : les conseillers scientifiques de Vadier sont de farouches adversaires de toute modification du code génétique humain, et ils feront tout pour empêcher l'avènement des transgènes.

— Je suppose que vous n'en avez pas touché mot à Gueguen : le vieux en aurait avalé sa pipe !

— Bien sûr ! Seulement, maintenant, il faut absolument que nous le démettions de ses fonctions.

— Je te voyais venir. De toute façon, il ne fait plus que des conneries quand il fait quelque chose.

— Es-tu sûr de tes officiers et de ton équipage ?

— Comme de moi-même : ils ne lui pardonnent pas les coupes sombres qu'il a pratiquées dans nos rangs.

— Dans combien de temps ton navire sera-t-il opérationnel pour seconder mon coup de force ?

— Attends un peu... Réunion des officiers aussitôt après ton départ, ou maintenant si tu désires leur exposer toi-même le problème : mettons une heure ; ensuite, rassemblement des hommes, énoncé de nos intentions puis vote... Dans deux heures, trois au plus, l'affaire sera réglée.

— Bon ! Vous serez donc prêts dès ce soir. Fais préparer des embarcations pour le cas où j'aurais besoin de renforts.

— Quel est le programme sur ta grosse baille ?

— Là, il faudra plus de temps. En ce moment, Vaugan doit administrer un hypnotique au vieux à la place de ses anti-inflammatoires. Il nous fichera donc la paix. Dès mon retour, je convoque l'état-major, puis on fait voter l'équipage. En gros, tout sera liquidé à la tombée de la nuit.

— Que feras-tu de Gueguen ?

— Enfermé à l'infirmerie. Quand il se réveillera, je le

préviendrai. Ah! J'oubliais le plus important: assure-toi que le central radio est bien sous ton contrôle dès le début. Il faut absolument empêcher Paris d'être au courant. Je lanternerai en disant que Gueguen est malade, que son état s'aggrave et finalement qu'il est mort.

— Tu ne vas pas le liquider? C'est un malade! En fait, il aurait dû abandonner le commandement depuis longtemps.

— Ne crains rien, il restera bouclé mais on le soignera aussi bien que possible. Ensuite, avec un peu de chance, je serai nommé à sa place. Et s'ils envoient un autre type, on le court-circuitera. A ce moment-là, d'ailleurs, j'espère que le professeur aura implanté ses transgènes à Marseille, Montpellier et Lyon, au moins.

— Et les SSBN de Brest?

— Les sous-marins nucléaires doivent à tout prix passer dans notre camp. Heureusement, ils restent cantonnés à l'île Longue. Comme je détiens tous les codes, je pourrai communiquer secrètement avec leurs commandants. L'un d'eux, Roscoff, est de ma promotion; et tu es au mieux avec l'autre, je crois?

— Tarlieu, oui. C'est un vieux copain. Tel que je le connais, il doit enrager de ne rien avoir à faire. Et comme il s'agit rien moins que de sauver l'humanité, je ne pense pas qu'il y ait le moindre problème.

— Et les cinglés des forts Taron, que feront-ils à ton avis?

— Rien à craindre, ils se joindront à nous! Un de mes premiers maîtres, Lemeur, a un frère chez eux. D'après lui, ce sont des écologistes, et ils ont réussi à sauver quelques plantes et animaux. En fait, ils se sont mieux débrouillés que nous, qui n'avons que nos champignonnières. Enfin, bref, ils seront ravis d'apprendre qu'un biologiste a trouvé le moyen de faire revivre la Terre.

— Dans ces conditions, tout est pour le mieux. Ils ne refuseront sans doute pas de nous rendre ceux des nôtres que Gueguen a foutus dehors : nous aurons besoin d'eux pour que les bateaux soient de nouveau opérationnels. Ce n'est pas avec les quelques matelots qui nous restent que nous pourrions faire grand-chose...

— Cela ne devrait pas poser de problème... Eh bien, avant de nous lancer dans cette aventure, je te propose de boire une bouteille que j'avais soigneusement réservée pour ce genre d'occasion.

— Voyons un peu...

Le commandant sortit de son réfrigérateur un vénérable flacon, et les deux amis sablèrent le champagne, pensant avec nostalgie qu'ils ne dégusteraient sans doute plus jamais pareil nectar.

La bouteille était presque vide lorsque Le Goff, en pleine forme, s'exclama :

— Allons, salut, vieux ! Il vaut mieux que je regagne mon bord avant d'être soûl ! Merci pour ton aide...

— *Ciao* ! Ne t'en fais pas, tout marchera au poil !

Cradech s'empressa de faire disparaître les coupes et le vin, puis il raccompagna l'amiral à la coupée, où les trilles réglementaires des sifflets le saluèrent. Il convoqua ensuite les officiers au mess et les informa de la situation.

Comme il l'espérait, tous furent trop heureux de trouver une cause à servir, un changement à la routine monotone du bord, une motivation : leur adhésion fut enthousiaste, même les timorés se laissant convaincre.

Quant à l'équipage, son vote ratifia à 95 % la décision de ses supérieurs. Comme le fit remarquer un quartier-maître :

— On en avait tous gros sur la patate d'être commandés par ce boucher ! Si les gars des forts Faron n'avaient pas recueilli quelques copains, ils auraient tous crevé. Alors, on marche, et comment!

A bord du porte-avions, Le Goff n'eut guère plus de difficultés à réaliser la passation de pouvoir.

Le médecin-major avait administré une bonne dose d'hypnotiques mâtinés de tranquillisants à son patient, si bien que celui-ci ronflait comme un sonneur lorsque son état-major le déposa.

Ensuite, les matelots votèrent, et leur accord fut encore plus total que sur le *Gloire*: 98 % des marins étaient heureux du changement.

Tout s'étant bien passé, Paris resta dans l'ignorance de la mutinerie pendant les jours qui suivirent, et les messages lénifiants de Le Goff furent reçus sans le moindre soupçon.

Dès le lendemain, donc, les chefs des divers groupes purent se rencontrer en terrain neutre, à l'embarcadère de l'ancienne gendarmerie maritime.

Pendant la nuit, les Chevaliers du Saint Sépulcre avaient assuré les mutins de leurs concours, si bien que le sire de Beauharnais siégeait à côté de Le Goff et Roussel.

— Eh bien, nous pouvons nous féliciter! déclara le biologiste. Tout s'est déroulé sans la moindre anicroche. La flotte de Toulon a changé de maître: elle voguera dorénavant au service de la renaissance planétaire.

— Je n'espérais pas un succès aussi facile, se réjouit l'amiral. Les hommes se sentent motivés, ils n'attendent qu'un ordre pour passer à l'action. Mais pour l'instant, nous essayons juste de remettre en service le maximum d'appareils. Seulement nous ne sommes pas assez nombreux...

— Messire, intervint le chef des chevaliers, vous

n'ignorez pas que notre communauté a recueilli moult marins chassés par ce vil Gueguen. Beaucoup d'entre eux ne demandent qu'à reprendre du service à bord.

— J'en suis heureux et vous remercie de votre accord. Accepteriez-vous aussi de nous fournir quelques denrées alimentaires ?

— Je suis tout disposé à vous en octroyer, et comme vous possédez peu de terres arables, mes braves contribueront à votre noble cause en cultivant les plants résistants. Ainsi, le mont Faron reverdira, et bientôt les enfants s'abriteront à l'ombrage de ses chênes.

— Je vous en suis extrêmement reconnaissant ! Le problème du ravitaillement a toujours été ardu, et si les matelots n'ont plus une ration de famine, ils serviront de meilleur cœur !

— Devrons-nous prévoir un hélicoptère pour vos déplacements, professeur ? intervint Cradech.

— Non, je repartirai en train. Toutefois, maintenez l'un d'eux en état d'alerte, afin que je puisse faire appel à vous en cas d'attaque.

— Entendu.

— Aucune réaction de Paris ?

— Non, ils ignorent ce qui s'est passé. J'ai envoyé le rapport de routine ; tout va bien.

— Où comptez-vous aller, messire Roussel ?

— Dans cette bonne ville de Marseille. Nous visiterons la faculté des sciences, qui est tout près de la gare et où j'espère récupérer du matériel, l'école de médecine, l'hôpital de la Conception et celui de la Timone : nous y trouverons sans doute pas mal de réactifs. A propos, comment vous débrouillez-vous avec les médicaments ? La plupart des nôtres sont périmés.

— Pareil ici ! Nous utilisons ceux de l'hôpital maritime et nos réserves sont devenues squelettiques... Mais

124

j'y pense, près de Marseille, il y a aussi un hôpital militaire à Malpassé, et une université des sciences à Saint-Jérôme, en banlieue nord-ouest.

— J'y enverrai quelques hommes.

— N'oubliez-pas l'hôpital nord et la fac de médecine du côté de Saint-Antoine, rappela Cradech.

— J'en prends bonne note. Mais je ne séjournerai pas longtemps à Marseille, ni à Montpellier. Si ce que nous trouvons le justifie, je ferai charger des wagons et je vous les enverrai pour que vous repreniez la fabrication de quelques drogues essentielles.

— Pour éviter d'affaiblir votre escorte, emmenez donc quelques marins avec vous. En plus, ils vous guideront à Marseille, ce qui vous évitera des pertes de temps.

— Excellente idée! Comme je l'ai dit, je ne veux pas rester plus de deux jours dans chaque ville. A Lyon, ce sera peut-être plus long s'il existe une structure organisée, mais mon objectif est Paris. Je dois rencontrer Vadier et le convaincre de m'accorder son appui.

— Dès que les sous-marins de Brest seront sous notre contrôle, je vous enverrai le mot de code : *Amphitrite*.

— J'espère le recevoir bientôt... De mon côté, je vous appellerai tous les soirs à vingt et une heures, sauf en cas d'urgence... A présent, je dois vous quitter ; mais sachez que je vous remercie du fond du cœur de m'accorder votre appui.

— Tous nos vœux vous accompagnent, professeur, assura Le Goff, plus ému qu'il ne le laissait paraître.

— Que le Seigneur protège Son envoyé et éclaire toujours Son esprit ! psalmodia le sire de Beauharnais.

Cradech se contenta de serrer la main du biologiste avec effusion, et Vaugan l'étreignit en disant :

— Je voudrais vous demander une dernière chose :

125

pourriez-vous faire venir d'Antibes deux de vos mères-porteuses, avec un garçon et une fille, de préférence?

— C'est impossible, car ce sont des techniciennes de labo et ils ont besoin d'elles jusqu'à leur accouchement. Par contre, il y a certainement des femmes au fort Faron. Je vais donc vous laisser quatre embryons congelés, deux mâles et deux femelles, que vous implanterez vous-même sur les sujets de votre choix.

— Merveilleux! Je ne sais comment vous remercier...

Denis regagna son train et le convoi repartit, sous les acclamations des marins venus lui faire leurs adieux. Un avenir moins sombre s'ouvrait à ces hommes qui n'avaient plus rien, et ils lui en étaient reconnaissants.

La ville avait brûlé du côté de La Seyne, et la campagne entre Toulon et Marseille était tout aussi desséchée que dans l'Estérel: pas une plante, pas un animal sur des kilomètres.

Denis se prenait à douter devant l'énormité de la tâche; tant d'espèces manqueraient pour reconstituer l'écologie. Ces craintes lancinantes l'obsédaient...

Il s'assoupit cependant. Lorsqu'il se réveilla, Myriam lui apporta une légère collation. Ils approchaient de Marseille. La nourriture lui fit grand bien, car il s'était beaucoup dépensé à Toulon. Le résultat dépassait d'ailleurs ses espérances: ses nouveaux alliés obligeraient Vadier à l'écouter, et peut-être le président réaliserait-il alors qu'il détenait l'unique solution à ses problèmes.

A fond de lui-même, le biologiste espérait ne pas devoir recourir à la force. Mais si l'obstination et les préjugés des dirigeants l'y contraignaient, il savait qu'il n'hésiterait pas un instant à les abattre: lui seul pouvait sauver la vie sur Terre.

Après la traversée de l'Huveaune, des usines bordaient la voie de chaque côté. Aucune d'elles n'avait brûlé, les innombrables réservoirs de l'usine d'aluminium de Pechiney étaient même intacts, aussi Denis se promit-il d'y envoyer une équipe avec quelques wagons : elle y récupérerait d'inestimables matières premières.

Soudain, à la hauteur de Saint-Marcel, le train stoppa.

— Que se passe-t-il ? s'étonna Denis.

— Une locomotive arrêtée en travers de la voie...

— Déraillée ?

— Non, intacte, apparemment. J'envoie une patrouille.

— Tenez-moi au courant.

Cela n'avait rien d'alarmant : un mécanicien, pris d'un malaise, avait sans doute abandonné sa machine. Mais un appel du poste de queue l'inquiéta davantage.

— Un camion vient de tomber sur la voie derrière nous, sous le pont que nous venons de passer.

— N'hésitez pas, tirez au moindre signe hostile.

— Bien compris...

Denis déploya un plan. Ils traversaient une zone industrielle, jadis fourmillante d'activité et surpeuplée, qui s'étendait jusqu'à Marseille. L'odeur de charogne flottant dans l'air laissait supposer qu'il ne s'y trouvait plus guère d'habitants.

Pourtant, la présence d'un supermarché et l'existence d'usines fabriquant des produits alimentaires permettaient de supposer qu'une bande avait dû trouver là moyen de survivre. D'autant qu'une brasserie proche avait sans doute fourni un stock de boissons. Il fallait se montrer prudent.

— Prévenez Toulon, demandez-leur de mettre en alerte des hélicoptères. Signalez que nous sommes bloqués mais pas encore attaqués, ordonna-t-il au radio.

— J'envoie le message immédiatement !

Denis gagna le P.C. de Duval, qui examinait les environs à la jumelle.

— Alors, que faisons-nous ? J'ai averti Le Goff.

— Tu as bien fait. Je ne sais pas quels sont les effectifs de ces types, mais ils paraissent décidés à nous tomber dessus malgré notre armement...

— Où sont-ils ?

— Dans l'usine, de l'autre côté de la rivière.

— Je n'aime pas ça. Tu as envoyé des hommes pour dégager la voie ?

— Oui. Ecoute ! On leur tire dessus... ils se replient !

— Et maintenant ?

— Nous allons reculer, pour essayer de pousser le camion, mais après avoir débarqué deux automitrailleuses qui contrôleront les deux ponts : pour nous atteindre, il faut qu'ils traversent la rivière.

— Quelle stupide perte de temps ! J'aurais dû écouter Le Goff et filer avec un de leurs hélicoptères.

— Pas certain. Ici, tu es protégé, alors que quand un appareil s'est posé, il devient très vulnérable.

Pendant une dizaine de minutes, le calme régna ; les deux automitrailleuses purent aller prendre position sur les ponts, devant et derrière le convoi. Mais à peine à terre, elles durent tirer sur des forcenés qui leur lançaient des cocktails Molotov, heureusement sans les toucher.

— Drôlement gonflés, ces gars, constata le capitaine. De vrais forcenés !

— Si on arrive à les refouler dans l'usine, on pourra dégager l'épave.

— On va reculer...

La rame manœuvra doucement. Un moment, le conducteur crut avoir réussi, mais la carcasse démantibulée se coinça contre l'un des piliers.

— Zut ! Il va falloir la remorquer et la balancer à l'eau, marmonna Duval. Exécution !

Les hommes engoncés dans leurs vêtements protecteurs se mirent au travail, profitant de ce que leurs adversaires avaient cessé le tir.

Hélas, Duval, qui surveillait toujours les parages à la jumelle, aperçut bientôt deux panaches de fumée. L'un s'élevait vers l'arrière : c'était un camion de fuel enflammé fonçant sur le blindé léger, ce dernier fila sans demander son reste. Le deuxième émanait d'un wagon-citerne, poussé à force de bras vers la locomotive barrant la voie en avant.

— Crénom, jura le capitaine, ils vont foutre le feu au convoi ! Tirez dessus à balles incendiaires, pour les faire exploser avant qu'ils ne nous atteignent.

Le crépitement des mitrailleuses devint forcené. Derrière la citerne, les assaillants tombaient comme des mouches, aussitôt remplacés par d'autres.

Ce fut le camion qui sauta le premier, juste au moment où il abordait la rampe du pont. Ses restes se consumèrent en dégageant une épaisse fumée noire.

Le wagon, lui, constituait une cible plus difficile, car ses flancs avaient été recouverts de plaques d'acier sur lesquelles les projectiles ricochaient. Un obus de bazooka le toucha enfin à l'instant précis où il franchissait le pont : le liquide enflammé s'écoula dans la rivière.

— Eh bien, nous l'avons échappé belle, constata Denis.

— Oui. Vous avez vu ? Ces types sont vraiment gonflés et ils ont de l'essence à ne pas savoir quoi en faire !

— Notre train ne vaut pas de tels sacrifices ! Que croient-ils que nous transportons ?

— Tiens, tiens...

— Quoi donc ?

— Il faut être cinglé, non ? Eh bien, regarde donc ça...

Il montrait, sur le plan, un point en dessous du supermarché.

— Hôpital psychiatrique, lut le biologiste. Tout de même, tu exagères! Des gens normaux sont morts par millions et des fous auraient survécu?

— Pas seuls! On les a sans doute aidés: un chef qui les envoie au casse-pipe et se contente de superviser les opérations.

— Il faudrait interroger des prisonniers pour le savoir…

— Je vais ordonner d'en capturer. Nous en aurons le cœur net.

Les assaillants marquaient un temps d'arrêt après l'échec de leur tentative, aussi fut-il assez aisé de récupérer des blessés légers, commotionnés par l'explosion, et de les ramener au train. Pendant ce temps, sur l'arrière, les opérations de dégagement se poursuivaient.

Poussés sans ménagements, les deux malheureux vêtus de loques et d'une saleté repoussante furent amenés devant les deux hommes, maintenus par des gaillards à la poigne solide. Immédiatement, Denis, en croisant leur regard halluciné, sut qu'ils n'étaient pas normaux. Malades ou drogués, ils avaient assurément un grain.

Duval s'adressa à celui qui paraissait le plus apeuré:

— Pourquoi nous avez-vous attaqués?

— Sais pas… On nous a dit d'pousser l'wagon, alors on a poussé…

— Et que serait-il arrivé si tu avais refusé?

— On m'aurait fouetté, bien sûr, jusqu'à c'que j'pousse!

— Et si tu t'étais couché par terre?

— C'te question! Y m'auraient flingué, ou ben y m'auraient bouclé quèques jours sans boire et sans bouffer!

130

— Tu vois, j'avais vu juste! souffla le capitaine à son ami.

— Ouais... Et je me demande même s'ils n'ont pas été téléguidés par des gens au courant de ce que nous transportons.

— Tu veux dire qu'il y aurait déjà eu des fuites?

— Une simple supposition... (Denis demanda alors au prisonnier:) Tu as l'air d'un brave type, comment t'appelles-tu?

— Roger.

— Eh bien, Roger, tu vas me répondre gentiment, et ensuite on te donnera à manger.

— Et vous m'battrez pas?

— Promis!

— Alors, j'veux ben.

— Où vivais-tu avant la famine?

— C'te question! A l'hôpital...

— Qui vous a libérés?

— Des types avec des casquettes noires. Y z'ont dit qu'y s'occuperaient de nous, seulement qu'y fallait obéir et pas faire de conneries.

— Que vous ont-ils demandé en échange?

— De faire de la casse! Moi, j'étais pas un agité, y z'ont dû s'tromper.

— Qu'avez-vous attaqué?

— D'abord, la caserne. Là, on s'en est foutu plein la sous-ventrière!

— Beaucoup de morts?

— Sûr. On avait amené des citernes et on a fichu le feu. Les types qui sortaient... tac, tac, tac, on les tirait comme des pigeons. Après, on a vidé le magasin de bectance.

— Il n'avait pas brûlé?

— Non: le Führer avait choisi son jour, le vent soufflait dans le bon sens.

131

— Le Führer?

— Ben ouais, le chef, quoi.

— Ah... Ensuite, où êtes-vous allés?

— Pieuter à l'usine Pechiney, c'te farce!

— Je veux dire, qu'avez-vous attaqué?

— Ah! Comme on avait la bouffe du supermarché et celle de l'intendance, le Führer a dit qu'y nous fallait des armes. On en avait pas récupéré beaucoup à la caserne vu que tout avait cramé. Alors, il a attendu un bon p'tit mistral et pis on a amené des citernes de chlore au camp Sainte-Marthe.

— Ah, le salaud!

— Qu'est-ce qu'on a rigolé! Y z'avaient pas tous des masques, alors y z'ont cavalé comme des lapins en toussant: reuh... reuh! Et nous on les a dégommés.

— Et ceux qui avaient des masques?

— Y z'ont voulu sortir, mais on les a pas laissé faire. Quèques blindés sont passés, seul'ment, malin, l'Führer avait tout dynamité. Ces cons, y z'ont sauté comme des crêpes.

— Tous?

— Non, pas les derniers. Mais c'était pas d' ma faute.

— Ils ont contre-attaqué?

— Pff! On avait des bazookas pour démolir leurs chenilles: on les a jamais r'vus.

— Et c'est comme ça que ça s'est terminé?

— Seulement au bout de deux jours: les masques étaient foutus, et nous, on avait toujours du gaz. Sont arrivés par petits paquets, les bras en l'air.

— Pour se faire descendre!

— Tout juste! Là, on a récupéré des armes et des blindés légers.

— Pourquoi le Führer ne les utilise-t-il pas contre nous?

132

— Va savoir! J'sais qu'on manque d'liquide hydrau-
lique, mais y en a assez pour en faire marcher deux ou
trois. Alors j'suppose qu'y veut pas faire trop d'dégâts.
D'vez avoir des trucs fragiles, dans vos wagons.

— Le Führer, où est-il actuellement?

— Dans sa voiture de commandement, pour sûr...

— Je vois... Emmenez-le!

— On va m'donner à bouffer? J'ai rien eu d'puis hier.

— Promis, et à ton copain aussi. Bouclez-les, on les
relâchera plus tard.

Les deux prisonniers furent entraînés.

— Eh bien, nous sommes dans de sales draps!
constata le capitaine. Ces fascistes paraissent contrôler la
ville, leurs hommes sont bien équipés — lunettes et
combinaisons —, ils semblent assez nombreux et disposent de blindés. Nous ne faisons pas le poids. Je vais
demander à Toulon d'envoyer deux autres appareils
pour vous évacuer si nécessaire.

Denis se gratta la tête, l'air songeur :

— Ma foi, tu as peut-être raison. La ville est apparemment aux mains de ces fous. J'aurais pourtant beaucoup aimé y aller, ainsi qu'à Montpellier : il y avait des
types de valeur dans leurs facs. J'espère que ça ira mieux
à Lyon...

— Ecoute, on verra plus tard. Dans l'immédiat, il
faut essayer de déguerpir avant que ces dingues ne
lancent une attaque appuyée par des blindés ou par des
gaz. Je n'arrive pas à croire que leur Führer a une idée
précise de ce que nous avons à bord. Il a sans doute
simplement constaté que nous avions des locos en état de
marche et un armement intéressant, alors il veut essayer
de s'en emparer sans trop faire de dégâts.

— Possible! Je vais préparer mes affaires, au cas où.
J'emmènerai aussi Paul, Virginie et Myriam.

— Emporte le minimum, les hélicos ne pourront guère évacuer qu'une dizaine de personnes au premier voyage.

— D'accord, je ferai des coupes sombres!

Il sortit, et Duval reprit son observation avec ses jumelles. Il poussa alors un juron:

— Merde! Voilà leurs blindés... Ils les disposent devant et derrière. Plus question de ficher le camp!

CHAPITRE VIII

Les deux blindés étaient des Leclerc dotés d'un canon de 105 mm ; impossible de les détruire avec les armes du train. Etrangement, Duval croyait revoir un film d'une époque révolue : les monstres d'acier portaient la croix noire et blanche des panzers, arboraient les fanions noirs à tête de mort des chars nazis.

Il rageait de s'être ainsi fait piéger par une bande de fous, mais comment aurait-il pu prévoir ? Il n'avait pas d'éclaireurs pour reconnaître le chemin, et d'ailleurs ces salauds les auraient certainement laissé passer en attendant une proie plus juteuse. Avec ses panzers et ses troupes d'assaut démentielles, le Führer submergerait sans peine ses défenses.

Restait l'hélico, sur la plate-forme, capable d'évacuer quatre personnes. Seulement cette cible trop facile n'irait pas loin : le feu croisé des chars l'abattrait avant qu'il ait pris de l'altitude. Car les autres ne laisseraient jamais partir l'appareil : c'était très probablement lui qui avait alléché le chef de bande, lequel n'en possédait sans doute pas. Au moins, tant que l'engin ne bougeait pas, l'adversaire n'utiliserait pas ses canons, pour éviter de le démolir, il fallait plutôt craindre une attaque en masse de son infanterie.

Après ce tour d'horizon morose, le capitaine appela Le Goff à Toulon. Par mesure de prudence, il utilisa un brouilleur.

— Que se passe-t-il? questionna l'amiral.

— Bloqués à l'entrée de Marseille devant l'usine Pechiney. Un char lourd à chaque extrémité de la rame, et il y en a peut-être d'autres.

— Zut! J'avertis les pilotes de ne pas approcher pour le moment. Les *Super Puma* se poseront à faible distance, pour intervenir quand les Dauphin auront liquidé ces *Leclerc* avec leurs missiles.

— Faites vite: l'ennemi dispose de fous pour donner l'assaut...

— Répétez, je n'ai pas bien compris...

— Des fous, des dingues. Il les a récupérés à l'asile psychiatrique et s'en sert comme chair à canon. Ils ont massacré les soldats de la garnison.

— Bien compris... Les appareils étaient en alerte, ils arriveront dans un quart d'heure... Tenez bon!

— J'essaie... Terminé!

Les soldats du train avaient tous regagné l'abri très relatif des wagons et, protégés par des caisses, couvraient les deux côtés de la voie. Malheureusement, ce n'étaient pas leurs armes et les canons de 37 des deux automitrailleuses qui effraieraient les néo-nazis.

Duval soupira et prit ses jumelles; sur le côté des bâtiments situés à la droite du train, des troupes se massaient et, déjà, les premières vagues s'élançaient.

Les mitrailleuses crachèrent à une folle cadence, mais l'élan des assaillants n'en fut pas pour autant brisé. Les rangs les plus proches, dotés de longs boucliers d'un acier extrêmement résistant, ne subissaient guère de pertes; ceux qui suivaient, par contre, tombaient comme des mouches, mais les rescapés allaient toujours de l'avant. Duval vit, en dernière ligne, des officiers en uniforme noir qui abattaient sauvagement tous ceux qui tournaient casaque ; plus loin, deux autres monstres d'acier, canon braqué, attendaient.

Une telle attaque contre un adversaire bien placé, possédant de nombreuses armes automatiques, était pure folie : les pertes des agresseurs devinrent si élevées qu'après le passage des deux ponts, il fut évident que la plupart d'entre eux n'atteindraient pas les wagons.

Un haut-parleur hurla alors un ordre :

— *A plat ventre !*

Comme un seul homme, les survivants plongèrent à terre.

La voix poursuivit :

— Je vous ordonne de cesser immédiatement toute résistance, sinon j'emploie les canons des chars !

Le capitaine saisit un mégaphone et répliqua :

— Tu nous prends pour des idiots, petit père Adolf ? Si tu utilises tes pétoires, tout sera bousillé, tu ne pourras rien récupérer. D'ailleurs, nous nous ferons sauter plutôt que de nous rendre. Alors, sois beau joueur : libère la voie et laisse-nous passer...

Sur le moment, pas de réponse ; puis un rire tonitruant, démentiel, résonna, faisant frissonner même les durs à cuire.

— Bravo ! reprit la voix, tu m'as reconnu. Et tu dois savoir qu'Hitler ne recule jamais dans ses entreprises. Vous êtes coincés comme des rats, et je peux vous faire griller ou vous réduire en miettes si l'envie m'en prend. N'essaie pas le chantage avec moi : tu es encerclé et mes troupes sont nombreuses, elles ont de quoi manger pour longtemps, je n'ai donc qu'à attendre !

Furieux, Duval répliqua :

— Nous aussi, nous avons de la nourriture. Tu finiras bien par te lasser.

— N'y compte pas... On vous liquidera comme les autres. Et si tu tiens à te suicider, ma foi, je me suis bien passé d'hélico jusqu'ici.

Le nazi se tut, et le gendarme contempla le ciel avec inquiétude. La nuit tomberait dans une heure ou deux, il faudrait allumer les projecteurs si l'adversaire tentait un assaut nocturne, et les lampes constitueraient des cibles idéales... Ensuite, dans le noir, les fous les submergeraient...

Il grimaça, anxieux :

— Crénom ! Pourvu que les *Dauphin* arrivent bientôt...

Son vœu fut vite exaucé : dans un rugissement, quatre appareils apparurent soudain et, ralentissant, décrivirent un cercle pour localiser leurs objectifs. Enfin, ils piquèrent sur les *Leclerc*.

Le Goff avait choisi ses meilleurs pilotes ; en quelques minutes, deux chars atteints de plein fouet par les missiles brûlaient : ceux qui bloquaient la voie. Les autres ne durèrent guère plus longtemps : ils explosèrent presque immédiatement après, et les flammes gagnèrent les hangars proches où étaient massées d'autres troupes d'assaut. Du coup, elles sortirent dans le plus grand désordre, comme des fourmis dont on aurait inondé le nid.

— Faites reculer le train, ordonna le capitaine, il faut sortir de là ! Poussez les blindés dans la rivière avec les automitrailleuses.

Les deux véhicules furent débarqués et, roulant sur le ballast, arrivèrent jusqu'aux énormes carcasses, heureusement en déséquilibre sur le talus. Les épaves fumantes tombèrent dans l'eau en grésillant.

Pendant ce temps, les *Dauphin* s'en donnaient à cœur joie, détruisant deux autres *Leclerc* stationnés en retrait. Affolés par ces oiseaux maléfiques, les fous se déban-

138

daient, piétinant les officiers qui tentaient de leur barrer la route. Ainsi, les abords de la voie se trouvèrent dégagés, et les soldats purent enlever les derniers obstacles.

Le convoi s'ébranla alors, suivi des deux automitrailleuses, revenant vers le nord. Denis, en tenue de combat, vint rejoindre Duval.

— Pas question d'entrer en ville, nota le biologiste.

— Non, ce serait vraiment trop risqué : ces types peuvent toujours revenir en force, nous n'en avons liquidé qu'une partie...

La communication fut établie avec le commandant de l'escadrille, qui annonça :

— La voie semble libre. Où avez-vous l'intention d'aller ?

Le capitaine consulta Denis du regard.

Celui-ci hocha la tête.

— Décidément, notre cargaison est trop précieuse pour que nous lui fassions courir de tels risques. Quelques hommes iront visiter les facs en hélicoptères, nous, nous retournons à Toulon. Là, au moins, Paul et Virginie seront en sécurité.

— Entièrement d'accord ! approuva Duval. Si les autres trouvent du matériel intéressant, l'amiral enverra une expédition par mer pour le récupérer. (Saisissant le micro, il répondit au pilote :) Cap sur Toulon !

— Okay. Nous restons dans le coin pour vous éviter toute poursuite. L'amiral désire que le professeur, les femmes et les enfants embarquent à bord des Super Puma pour éviter d'autres attaques.

Une heure plus tard, Duval atterrissait sur le pont du *De Gaulle*. Le Goff l'y accueillit à bras ouverts et l'emmena au poste des officiers.

— Plus question de vous exposer ainsi ! déclara-t-il.

Comme il semble qu'à Marseille il y ait encore des réserves de carburant, j'y envoie une frégate avec un commando. Si le jeu en vaut la chandelle, nous prendrons des wagons et des locomotives au dépôt S.N.C.F. de Saint-Pierre et nous nettoierons cette bande de dingues. D'ailleurs, leurs chefs ont dû être éliminés : un des pilotes m'a signalé qu'il avait détruit trois voitures radio de commandement qui s'enfuyaient.

Duval poussa un soupir de soulagement !

— Eh bien, je m'en réjouis. J'ai bien cru un moment que ces salauds allaient tous nous tuer...

— Ils l'auraient fait sans les Dauphin ! Ah, je m'en voulais à mort de vous avoir laissé partir ! Vos enfants, vos techniciens et vos travaux sont trop précieux, il ne faut pas les exposer. A partir de maintenant ils resteront à l'abri dans un des navires désarmés où je ferai aménager des laboratoires.

— Ma foi, je pense que vous avez raison... A Lyon, les choses risquent d'aller encore plus mal, et un train est trop vulnérable...

— Je ne suis pas fâchée de te l'entendre dire ! intervint Myriam. Depuis notre départ d'Antibes, je me faisais un sang d'encre pour Paul et Virginie. Et puis comment travailler correctement dans un wagon qui gigote sans arrêt ?

— Ici, vous n'aurez rien à craindre, madame ! assura Le Goff. Et la place ne manque pas !

— Parfait. J'installerai d'abord la nursery, ensuite je m'occuperai du labo. Ah, j'oubliais : il faudra aussi m'indiquer où effectuer mes plantations. Attention, elles doivent être à l'abri des affamés...

— Lieutenant, occupez-vous de madame. Qu'elle choisisse l'emplacement qui lui convient.

— A vos ordres...

140

Dès qu'il fut seul avec Denis, l'amiral reprit :

— Je suis bien content que vous ayez décidé de ne pas aller à Montpellier : j'ai eu une longue conversation — en code — avec l'amiral Poulgwen, de Brest. Roscoff et Tarlieu sont aussi dans la confidence. Ils ont tous été passionnés par vos réalisations !

— Vous m'en voyez enchanté. J'en conclus qu'ils marchent avec nous...

— Ce n'est pas si simple : ils hésitent... Voyez-vous, pour un militaire, l'obéissance au pouvoir est primordiale. Ils ne peuvent pas se décider à la légère...

— Les marins de l'*Aurora* n'ont pas hésité à rejoindre leurs camarades marxistes, que je sache !

— Ce n'est pas la même chose : dans leur cas, il s'agissait d'un idéal révolutionnaire.

— N'est-ce pas une révolution d'offrir à nouveau une faune et une flore à la planète tout entière ?

— Si. Et c'est pourquoi, bien qu'ils aient entière confiance en moi, ils veulent s'assurer que je n'agis pas sous la contrainte et que mes assertions sont véridiques. Autrement dit, avant de se rebeller contre Paris, ils attendent que nous leur rendions visite avec Paul, Virginie et quelques plants de végétaux résistants.

— Ah ! toujours des saint Thomas : s'ils ne voient pas, ils ne croient pas...

— Mettez-vous à leur place. Ils commandent les plus puissants vaisseaux qui restent à la disposition de notre pays !

— Evidemment...

— Songez aussi que vous êtes apparemment le seul en France qui ait réussi ce tour de force !

— Et pourquoi ? Parce que j'ai délibérément refusé de sacrifier mes recherches à des gens qui ne voyaient pas plus loin que le bout de leur nez ! Mes travaux les choquaient! Comme si l'être humain était la perfection ultime... Moi, je vous assure que je ne bée pas d'admiration devant ce monstre : c'est le seul animal qui tue par plaisir et qui ait failli détruire son habitat!

Le Goff leva les bras au ciel.

— Calmez-vous, mon cher, vous prêchez un convaincu!

— C'est vrai, excusez-moi. Mais sachez une chose : si un jour je découvre comment modifier le cerveau de l'homme pour lui ôter sa bêtise et son agressivité, je n'hésiterai pas un instant!

— Bon! Ceci posé, revenons à nos moutons : acceptez-vous d'aller là-bas?

— Comment être sûr qu'il ne s'agit pas d'un piège? Vos petits copains se sont peut-être empressés de prévenir Vadier pour se faire bien voir.

— Là, vous exagérez! Je ne mets pas en doute la parole de mes camarades, et si vous le désirez, je vous accompagnerai.

— Vous n'êtes pas logique avec vous-même : vous m'empêchez d'aller à Lyon, et vous voulez me faire traverser toute la France...

— D'abord, je n'empêche rien : vous seul décidez, et je ne fais que vous seconder. Ensuite, un trajet en hélicoptère présente moins de risques que par chemin de fer. Aucune bande de cinglés ne peut vous intercepter.

— Quel est le rayon d'action de vos Super Puma?

— Sept cents kilomètres...

— Alors, réfléchissez : je n'atteindrai pas Brest, ils n'auront pas assez de carburant.

— Rassurez-vous, tout est prévu : l'amiral Poulgwen dispose d'une base à Bordeaux. Nous n'effectuerons donc pas le trajet d'une seule traite et ferons escale là-bas pour nous ravitailler. Ensuite nous repartirons vers Brest.

142

— Et combien de temps cela prendra-t-il?

— Deux heures et demie, trois tout au plus.

— Si tout va bien...

— Deux appareils partiront d'ici. Si l'un d'eux a des problèmes, vous embarquerez dans l'autre.

— Il faut que j'y réfléchisse... Après tout ce qui s'est passé, j'ai besoin de repos.

— C'est tout naturel!

— Et puis, pour être franc, je n'ai pas vraiment confiance.

— Je me porte garant de Roscoff et Tarlieu!

— Mais pas de Poulgwen...

— Je le connais moins. Seulement, sans ses deux sous-marin il n'est plus rien.

— Mais ils sont bloqués dans les abris de l'île Longue. Donc incapables de rien faire. Non, je vous l'ai dit, je dois peser le pour et le contre avant de me décider. Et comme la nuit porte conseil, je vais aller me coucher!

— Moi, je vais faire préparer les deux engins: si vous voulez y aller, il faudra nous dépêcher. Le ministère a peut-être capté notre émission, auquel cas l'opérateur a dû trouver bizarre que j'utilise un code confidentiel marine qu'il ne connaissait pas. Et s'ils mettent leurs ordinateurs sur l'enregistrement, le secret ne fera pas long feu.

— Combien de temps?

— Ça dépend des types qui travailleront dessus. De deux jours à deux mois.

— Vous avez été imprudent...

— Entre deux maux, il faut choisir le moindre; nous voulions les deux sous-marins, il était donc indispensable de convaincre Poulgwen!

— Ce que vous n'avez pas réussi à faire... Mais j'aurais sans doute agi de même. Bon, je vais me reposer.

143

— N'oubliez pas de donner des ordres pour la cargaison que vous voudrez emporter.

— J'y songerai...

Le lendemain, il faisait un temps magnifique, il n'y avait presque pas de vent. Jusqu'à Bordeaux, le vol serait aisé.

Denis s'était entretenu avec Myriam avant de s'en dormir, et à son réveil, il était décidé. Pourtant, il n'en toucha mot à personne avant d'avoir pris un bon petit déjeuner. Puis, le train étant de retour, il régla quelques problèmes d'installation avec ses techniciens. Après seulement, il alla voir Le Goff.

— Alors, en forme ? s'enquit l'amiral.

— Parfaitement !

— Et que faisons-nous !

— A quelle heure dois-je embarquer ?

La physionomie du marin s'éclaira. Il saisit son interlocuteur par les deux épaules et s'écria :

— Sacrénom ! Je suis fichtrement content ! Moi, je n'ai pas fermé l'œil de la nuit, tellement j'étais anxieux de savoir ce que vous choisiriez. Croyez-moi, vous n'aurez pas à le regretter. Le temps d'arrimer vos bacs de plantes et vos documents, et on y va !

— Alors, je pars chercher Paul et Virginie : j'ai déjà ordonné de porter à bord ce que je veux emmener.

— Merveilleux !

Finalement, Myriam exigea d'être du voyage, prétendant que personne d'autre ne saurait s'occuper des enfants.

L'appareil décolla à neuf heures avec sa précieuse cargaison, tandis que les marins agitaient leurs bérets.

Les deux biologistes, le nez aux hublots, contemplaient le paysage qui s'étendait sous eux avec curiosité : cela permettait mieux que tout rapport officiel de se rendre compte de l'état de la flore. Et mettait en évidence l'immensité de la tâche à accomplir.

— Jamais nous n'y arriverons ! gémit Myriam. Regarde ça : pas un brin de verdure nulle part ; c'est un véritable enfer !

— Et impossible de demander aux gens de travailler là : avec les combinaisons protectrices et les lunettes, ils ne pourraient pas tenir plus de deux heures.

— Comme les colons martiens avec leurs scaphandres, remarqua la jeune femme.

— Tandis que les transgènes se promèneront normalement, comme nous le faisions autrefois.

— Est-ce que tu imagines la quantité de graines qu'il faudra pour ensemencer tout ça ?

— Bah ! La nature fait bien les choses : le vent répandra les semences. En quelques années, tout redeviendra normal.

— Pas pour les animaux ?

— Là, c'est vrai, il faudra plus de temps, car leur cycle de reproduction n'est pas aussi rapide. Mais par polygemellité, je pense qu'on pourra au moins accélérer la reproduction des espèces les plus utiles.

Myriam hocha la tête. Ils se turent tous les deux, et Denis, bercé par le ronronnement des rotors finit par s'endormir. Il ne se réveilla qu'un peu avant Bordeaux.

— Regarde, nous survolons la Garonne ! s'exclama Myriam en lui poussant le coude.

— Oui, l'eau ne manque pas ! Tant mieux... Avez-vous vu des traces de vie ?

— Non ! Il y avait de la fumée au-dessus de Toulouse, l'appareil est descendu, mais c'étaient seulement des immeubles qui brûlaient. Le bruit de l'engin n'a attiré personne.

145

— Bon ! Je pense qu'il en est de même à Bordeaux, en dehors de la base maritime.

— Nous allons être fixés, voici les faubourgs.

Comme dans toutes les cités construites le long d'estuaires, les eaux submergeaient une grande partie des bâtiments. La base dont avait parlé Le Goff se trouvait à bord d'un aviso ancré dans ce qui avait été le Lac, et le parc des expositions servait de local d'habitation à ses occupants. Le pont d'Aquitaine, submergé, formait barrage : impossible de remonter plus loin la Garonne.

À son atterrissage, l'hélicoptère fut accueilli par une escouade que dirigeait un lieutenant. Celui-ci se mit aux ordres de Le Goff qui, lui aussi, accompagnait Denis afin de le seconder. Un camion-citerne attendait, il n'y eut qu'à brancher les canalisations.

— Désirez-vous prendre quelque chose ? demanda le jeune officier, affable. Si je puis me permettre, l'ordinaire ne vaut pas grand-chose, mais nous avons sauvé pas mal d'excellentes bouteilles...

Apparemment, il y recourait pour se donner le moral, car sa face vermeille et sa faconde étaient celles d'un joyeux vivant.

— Ma foi, ce n'est pas de refus...

Ils suivirent leur guide dans l'un des hôtels proches du parc et dégustèrent quelques succulents médocs de grands millésimes.

— Eh, vous ne vous embêtez pas ! s'amusa Le Goff.

— Côté boissons, ça boume ! Par contre, sans le poisson rapporté par nos quelques bateaux de pêche, nous n'aurions plus rien à manger. Les habitants de la ville se sont entre-tués pour récupérer les stocks des magasins, et puis les plus forts se sont organisés en bandes qui font régner la terreur.

146

— Comme dans toutes les agglomérations, rappela Le Goff.

— Sans doute. Nous n'avons guère de liaisons avec l'extérieur, mis à part Brest. Jusqu'ici, les canons de nos bâtiments ont tenu les voyous en respect. Et heureusement, ils crèvent les uns après les autres, soit de faim, soit de cancer... Un de ces jours, je pense que nous mettrons le cap sur Brest : il paraît qu'ils sont mieux ravitaillés, là-bas, et avec les raffineries, nous ne manquons pas de carburant.

— En tout cas, nous sommes ravis de vous avoir trouvés ici ! assura Denis. Et merci pour le bordeaux, il était excellent.

— Si vous le désirez, j'en ferai porter une caisse à bord de l'hélico.

— Cela réjouira nos amis !

Un quart d'heure plus tard, les passagers regagnaient l'appareil, qui décolla aussitôt. Il survola d'abord les anciens vignobles, dont les ceps desséchés menaçaient le ciel de leurs branches torses, puis passa au-dessus de l'île d'Oléron et suivit la côte, découvrant successivement l'île d'Yeu, Noirmoutier, Belle-Ile avant de pénétrer dans les terres à la hauteur de Quimper. Nulle part il n'y avait signe de vie.

Denis, pendant ce temps, eut tout loisir de méditer, car le vin généreux avait assoupi ses compagnons. Il devrait jouer serrer avec Poulgwen car, sans son appui, il n'y avait rien à espérer : ses espoirs de disposer d'un moyen de pression sur le gouvernement s'effondreraient. En effet, les navires de Le Goff étaient extrêmement vulnérables, contrairement aux sous-marins — qu'ils soient en plongée ou dans leurs abris souterrains.

Comme Le Goff dormait, le biologiste alla interroger son aide de camp.

— Dites-moi, quel genre d'homme est-ce ce Poulgwen ? Service — service ou compréhensif ?

— Faut pas trop s'y fier, grommela le lieutenant. Il est toujours souriant, mais ça ne l'empêche pas de coller des jours d'arrêts de rigueur si on n'a pas suivi ses ordres à sa convenance.

— Réaliste ou idéaliste ?

— Oh, pas de doute : réaliste ! Arriviste, même ; on ne devient pas commandant de la flotte du ponant sans bousculer quelques camarades de promotion.

— Donc, il sait ce qu'il veut et où trouver son profit.

— Voilà ! Dans votre cas particulier, je n'ai pas de conseil à vous donner, mais vous feriez bien de le motiver par un avantage personnel. Il n'est pas comme l'amiral Le Goff, qui se battra simplement pour la bonne cause.

— Je vois... Merci !

Denis regagna sa place en se demandant ce qui pourrait bien tenter un type arrivé au sommet de la hiérarchie, comblé d'honneurs et de décorations.

Lui proposer le commandement de toute la flotte ? Dérisoire, puisqu'il l'avait en pratique, du fait de l'invulnérabilité de ses forces.

Lui faire miroiter la présidence de la République ? C'était peut-être la bonne solution... Du coup, Denis réfléchit un peu plus au problème de la France. Si Vadier refusait de se montrer raisonnable, il devrait imposer ses réalisations par la force et donc déposer le gouvernement.

Poulgwen chef de l'Etat, lui serait Premier ministre et disposerait en fait des pouvoirs... Rasséréné, le biologiste reprit sa contemplation du paysage. A Douarnenez, il aperçut quelques bateaux de pêche, avec leurs voiles couleur rouille, gîtant sous le vent de suroît.

148

L'aide de camp vint éveiller l'amiral, qui s'étira et grogna :

— Déjà arrivés ? Pas possible !

— Si, mon cher. Ce voyage a été une véritable partie de plaisir : j'avais totalement oublié que l'homme civilisé volait plus vite que les oiseaux.

— Ouais ! Une veine qu'il y ait eu du carburant à Bordeaux. Je ne me serais pas fié aux bases de l'armée. A propos, un conseil : Poulgwen est sensible aux honneurs, proposez-lui un poste si vous envisagez de former un nouveau gouvernement.

— J'avais songé à lui offrir la présidence...

Le Goff eut une moue dubitative :

— Nous risquons d'avoir des histoires avec les biffins et l'aviation : jalousies de clochers ! Remarquez, dans ce cas, vous n'aurez qu'à lui donner le ministère de la Marine : il ne peut pas sentir le titulaire actuel et il sera ravi. D'ailleurs, à mon avis, vous devriez vous réserver la présidence.

— Cela ne me donnerait aucun pouvoir effectif !

— Tout dépendrait du choix de votre Premier ministre...

— Il y a du vrai dans ce que vous dites ! Enfin, nous verrons.

L'appareil avait franchi la pointe de Saint-Mathieu et s'approchait de l'héliport de l'île Longue, base des sous-marins atomiques. Il se posa comme une plume, et ses passagers furent accueillis par un capitaine de vaisseau qui se présenta :

— Barrois, à vos ordres, amiral. Bienvenue, professeur, mes hommages, madame. Je vais faire prendre vos bagages.

— J'aimerais disposer d'une salle de projection, ainsi que d'une pièce calme pour les enfants, annonça Denis.

149

— J'y veillerai : c'est une telle joie de voir des gosses !

Ils grimpèrent tous à bord d'un véhicule tirant plusieurs remorques sur pneus qui évoquaient les mini-trains desservant, naguère, les stations balnéaires.

Ce petit convoi franchit deux portes blindées d'une épaisseur respectable puis s'enfonça dans un tunnel, éclairé de lampes fluorescentes, qui descendait en spirale. Au bout d'une centaine de mètres, il stoppa devant des ascenseurs où les visiteurs s'entassèrent. Les wagonnets, eux, furent placés dans un monte-charge qui les emmena à l'étage des habitations, où leur contenu fut déchargé.

La capitaine guida ses hôtes jusqu'à la salle de conférences : l'amiral Poulgwen les y attendait, en compagnie de son état-major.

Le Goff le salua et serra cordialement la main de ses amis Tarlieu et Roscoff, conviés pour la circonstance.

Cependant, Poulgwen assurait :

— Madame, professeur, je suis enchanté de vous rencontrer. Depuis que Le Goff m'a parlé de vos remarquables travaux, je meurs d'envie d'admirer *de visu* vos extraordinaires réalisations.

— Je serai ravi et honoré de vous les montrer.

— Est-il vrai que vos plantes poussent comme jadis, en plein soleil ?

— Tout à fait ! Du moins celles que nous avons pu modifier.

— Et ces deux bambins, j'espère que vous les avez amenés avec vous ?

— Bien sûr. Myriam, présente-les à l'amiral.

— Voici Paul et Virginie, déclara avec fierté la biologiste, désignant deux couffins portés avec délicatesse par des marins.

— Saperlotte ! Ils sont plus foncés que le plus noir des

nègres! s'exclama le vieux marin. Ce sont de très beaux bébés... Et vous dites qu'ils peuvent aller au soleil sans combinaison protectrice?

— Absolument. D'ailleurs, Le Goff vous le confirmera.

— Epoustouflant! Une véritable renaissance!

— Et les diapositives de Sophia Antipolis vous montreront que, maintenant, la rapidité de la renaissance planétaire dépend seulement de l'importance des moyens mis à notre disposition. Mais Vadier me boude, c'est le moins que je puisse dire!

— Chaque chose en son temps, mon cher! gloussa l'amiral. Projetez-moi d'abord ces vues, que je me fasse une idée définitive de vos résultats.

Ils passèrent dans une salle de projection, où Denis s'assit entre Poulgwen et Le Goff.

Myriam était restée dans l'autre pièce pour donner le biberon aux deux enfants, qui commençaient à pleurer. Le biologiste commenta les vues, exposant comment il avait protégé les plantes en faisant sécréter par leur épiderme du bergaptène — filtrant les U.V. — tout en respectant la synthèse des sucres par les chloroplastes.

Puis il parla de la super-mélanine dont il avait doté les transgènes et termina par quelques explications succinctes sur la manière de rompre une chaîne d'A.D.N. pour y introduire un codon nouveau modifiant le phénotype de l'espèce traitée.

Poulgwen l'interrompit:

— Je n'y connais rien, professeur. Gardez donc votre salive pour mes spécialistes, qui sont déjà en train d'examiner les documents que vous avez bien voulu apporter. Quant à moi, ma conviction est faite: nous avons pas mal de choses à mettre au point. Passons dans mon bureau...

CHAPITRE IX

Ils s'installèrent dans de vastes fauteuils de cuir noir un peu éraillés par l'usure, et Denis attaqua :

— A mon tour de poser quelques questions, si vous le permettez, amiral...

— Faites.

— Quand Le Goff m'a parlé de l'île Longue, je n'ai émis aucune remarque car il connaît la question mieux que moi, mais normalement, cette île aurait dû être submergée comme le port et les côtes de la rade ?

Poulgwen sourit d'un air satisfait.

— Remarque fort judicieuse, cher ami ! En effet, lorsque les eaux ont monté, peu d'installations ont pu être sauvegardées tant nous avions de problèmes. Seulement ici, j'avais prévu le coup assez longtemps à l'avance. Aussi ai-je pu surélever sans trop de difficultés l'entrée des blockhaus et installer des écluses.

— Ah ! c'est sans doute pourquoi notre train est descendu en spirale.

— Très juste ! Je constate que non seulement vous êtes génial, mais encore très observateur... Restait à régler le problème des sous-marins, car leurs loges se trouvaient désormais au-dessous du niveau de la mer. J'ai décidé de conserver cet avantage : au lieu de sortir à

153

la vue de tous dans la rade, ils peuvent quitter la base en immersion puisqu'il y a plus de profondeur.

— Il est donc impossible de repérer leur départ?

— Oui, mais la chose n'a pas été facile à réaliser. Il a fallu pas mal d'aménagements.

— C'est tout de même très ingénieux!

— Je n'ai fait que profiter de la situation nouvelle, répondit l'amiral, modeste. Est-ce tout ce que vous désiriez savoir?

— Oui. Ce point m'intriguait, merci de m'avoir mis dans le secret.

— Tous les pays n'ont pas cherché à utiliser leurs anciennes installations. Certains ont construit de nouvelles bases, et on prétend même que les Russes auraient aménagé des alvéoles dans d'immenses icebergs, afin qu'elles montent et descendent suivant le niveau de la mer... Mais parlons de vous. Si j'ai bien compris, Vadier s'est toujours opposé à vos recherches, et vous craignez donc qu'il n'accepte pas de voir vos transgènes se répandre?

— Oui. Voyez-vous, les comités d'éthique gouvernementaux ont toujours farouchement refusé les modifications du code génétique humain. Moi, je craignais que notre planète ne reste pas toujours paradisiaque; j'ai donc cherché à parer au danger.

— Je vous comprends d'autant mieux que lorsque j'ai voulu me préparer à l'élévation du niveau de la mer, je me suis heurté à d'énormes obstacles au ministère! Comme l'a dit le sage: « Le malheur, une fois déchaîné, fait tout craindre, alors que le bonheur rend aveugle. »

— Fort juste; l'homme croyait son domaine éternel. De qui est-ce?

— D'Eschyle...

— Que n'ont-ils écouté la sagesse grecque... car il y

avait des précédents, qui auraient dû inciter l'humanité à prendre des précautions.

— Lesquels ?

— Eh bien, géologues et paléontologues avaient découvert que la disparition des dinosaures, voici soixante-cinq millions d'années, avait été provoquée par la chute d'un astéroïde dans l'océan.

— Vous me l'apprenez... Quelles preuves en avaient-ils ?

— L'iridium. C'est un métal dense et donc rare, car il s'est enfoncé dans le noyau central lorsque la surface du globe était encore visqueuse. Or, on avait découvert dans certains sites, en Italie notamment, une mince couche noire datant de cette époque et contenant ce minerai en quantité inhabituelle.

— Quel rapport ?

Denis entreprit d'exposer à son interlocuteur les conclusions des scientifiques à ce sujet. Un astéroïde d'environ dix kilomètres de diamètre avait explosé en atteignant l'océan, créant d'énormes nuées de vapeur mêlée de sa propre substance et du basalte des fonds marins — qui, en retombant, avaient formé la couche en question. Une onde de chaleur terrible avait alors balayé le globe, calcinant sa végétation. Les grands reptiles herbivores étaient donc morts de faim, entraînant bientôt à leur suite leurs frères carnivores.

— Du reste, continua le biologiste avec fougue, cette catastrophe n'a pas été seule de son genre : il semble bien que trilobites et madrépores aient disparu de semblable manière, et la face de la lune arbore assez de cratères pour donner du poids à cette hypothèse. Le fait que l'érosion ait effacé presque tous ceux de notre planète ne doit pas faire oublier cela. D'autant que la Terre creuse régulièrement certains corps célestes et qu'une collision finira par se reproduire un jour... Nos gouvernants savent certainement tout cela ! Ils auraient dû penser que ce genre de choses pouvaient recommencer ! s'indigna le marin. Maintenant, il ne nous reste plus qu'à essayer de réparer... Dans l'immédiat, quelles sont vos intentions ? Rendre visite à Vadier et lui montrer vos documents ?

— Peut-être, seulement je crains que ce ne soit une perte de temps. En tout cas, pas question de lui amener Paul et Virginie pour qu'ils deviennent des cobayes !

— Mais vous-même, ne craignez-vous pas d'être gardé en otage ?

— Mes assistants connaissent mes techniques.

— Ils les feront peut-être chanter : l'arrêt de leurs travaux en échange de votre vie.

— Eh bien, si cela devait arriver, je vous en conjure, laissez-moi mourir et poursuivez ma tâche.

— Vous pouvez en être certain, intervint Le Goff. Mais voyons les choses en face : si Vadier vous refuse son aide, la situation sera bloquée. Nous ne pourrons pas propager rapidement les transgènes. Puisqu'il est tellement braqué contre vous, qui sait s'il n'ira pas jusqu'à employer la force pour détruire votre œuvre ?

— Vous pensez qu'il ferait bombarder Sophia Antipolis et Toulon avec des engins atomiques ? s'inquiéta Denis.

Poulgwen réfléchit, puis répliqua :

— C'est un homme buté ! Lorsqu'il a une idée en tête, impossible de le faire changer d'avis. S'il a décidé que toute modification de la race humaine est sacrilège, il n'hésitera pas !

— C'est effectivement un mystique, confirma Le Goff. Fort de ses convictions, il ira jusqu'au bout !

— Alors, je ne vois qu'un coup d'Etat pour l'évincer

156

du pouvoir, constata le biologiste. Sinon, nous pourrons craindre le pire ; pas ici, l'abri est à l'épreuve des bombes, mais à Antibes, à Toulon et dans tous les centres où nous implanterons les transgènes.

— L'idéal serait de mettre l'armée de l'air de notre côté, Taverny est son fief. Mais comment amener les officiers à céder ? Ils disposent comme nous de peu d'appareils, et les missiles du plateau d'Albion restent sous le contrôle présidentiel.

— Et si nous les détruisions avec les engins de vos submersibles ?

— Evidemment, ce serait une solution, opina Poulgwen. Seulement songez à mon immense responsabilité, à ma carrière ! Après des années de bons et loyaux services, terminer en attaquant des compatriotes, ce serait un peu fort !

« Nous y voilà, songea Denis. Il hésite à franchir le Rubicon... Essayons de l'appâter. »

Il poursuivit, à voix haute :

— Je verrais bien une autre solution, pacifique, celle-là. Etant donné votre immense prestige dans l'armée, si vous décidiez de prendre la présidence et d'éliminer ce stupide Vadier, tous les militaires vous suivraient !

— Ma foi, je n'y avais pas songé...

« Tu parles ! » se dit son interlocuteur.

— Toutefois, en y réfléchissant, cela aurait l'immense avantage d'éviter l'emploi d'engins atomiques et d'empêcher une guerre fratricide. Je crois, effectivement, que mes camarades ont assez d'estime pour moi. En outre, la présence de Le Goff à mes côtés n'est pas négligeable. Je pense donc pouvoir accepter, mais à certaines conditions ; une en particulier.

— Laquelle ?

— Je n'y connais strictement rien en biologie, et la restructuration de la Terre, de son écologie, de sa faune et de sa flore, ne peut être réalisée que par un spécialiste. Or, c'est la tâche primordiale à laquelle il faudra nous atteler. J'aurai donc absolument besoin de vous, cher professeur, comme Premier ministre.

Denis prit une mine effarouchée.

— Moi ? Mais je suis totalement étranger à la politique !

— L'ancienne, sans doute, mais les nouvelles valeurs seront différentes : le génie génétique, la biophysique, la biotique vont remodeler notre planète. Pour maîtriser ces facteurs nouveaux, qui serait plus qualifié que vous ?

— La biologie aurait donc le pas sur les autres sciences ?

— Absolument ! Il faut créer une écologie nouvelle avec des moyens limités, par conséquent vous aurez la priorité absolue. Evidemment, selon l'attitude des autres pays, il faudra peut-être maintenir ou renforcer nos forces armées, mais pour l'instant, avec les sous-marins et le porte-avions, je les juge suffisantes. Seule la maintenance devra être accrue, car la cannibalisation des appareils hors d'usage n'apporte qu'une solution temporaire. Les usines d'armement seront donc aussi prioritaires.

— Et l'électricité, d'où viendra-t-elle ?

— Notre pays s'était doté de centrales nucléaires en surnombre, intervint Le Goff. La demande étant faible au début, il suffira d'en remettre un petit nombre en service. D'ailleurs, Vadier a pu maintenir en marche celle de Nogent-sur-Seine.

— Heureusement, les écologistes bretons avaient fini par accepter qu'on en construise une chez eux. Tout ira bien de ce côté-là, conclut Poulgwen. Alors, nous sommes d'accord ?

— Ma foi, vous m'avez convaincu : tant qu'il faudra régler des problèmes relevant de mon domaine, je pense être qualifié. Pour le reste, je sélectionnerai des ministres compétents. Je reprendrai peut-être d'ailleurs certaines personnalités du gouvernement actuel particulièrement efficaces... Bien entendu, vous m'aiderez de vos conseils, amiral.

— Bien ! Nous verrons les détails par la suite. Il faut d'abord ou destituer Vadier, ou le persuader de démissionner. Le Goff, comment voyez-vous les choses ?

— Mettons-le devant le fait accompli : une proclamation vous nommant président de la République, dans laquelle nous esquisserons un programme de reconstruction basé sur les méthodes de notre ami.

— Dans un deuxième temps, d'accord ! intervint Denis. Mais je pense qu'auparavant l'un de nous doit se rendre à Taverny, afin d'étayer mes assertions en montrant des preuves tangibles de mes réalisations. Comme l'essentiel de mes travaux figurait dans mes publications antérieures à la catastrophe, les conseillers du pré... de Vadier les connaissent certainement et pourront confirmer le sérieux de mes dires.

— Pas question que ce soit vous, mon cher ! Personne ne peut vous remplacer ! s'écria Poulgwen. Que votre femme y aille à votre place : elle est extrêmement compétente, m'a assuré Le Goff.

— Impossible ! Myriam est l'une des mères porteuses, et je refuse de lui faire prendre de tels risques !

— Un de vos assistants, peut-être ?

— J'ai laissé les plus qualifiés à Antibes et à Toulon, et ceux qui ont des travaux en cours ne peuvent pas les abandonner. Non, il faut me permettre d'y aller.

— Au moins, laissez-moi prendre contact avec certains membres de l'état-major de l'armée en place à

Taverny. Nous disposons de moyens de liaisons radio personnels pour les cas où le président se trouve incapable d'assumer sa charge ; nous aurons donc une idée de l'atmosphère qui règne là-bas, insista Poulgwen.

— Tout plutôt que d'en arriver à un affrontement. Quel délai demandez-vous, monsieur le président ?

Flatté, l'amiral se rengorgea.

— Nous allons émettre immédiatement. Ils vont vouloir réfléchir... Disons demain matin ? Ça me semble raisonnable.

— O.K. ! Eh bien, permettez-moi de rejoindre ma femme et d'aller visiter les locaux que vous mettez à ma disposition pour les laboratoires.

— Le pharmacien Ladnet et le vétérinaire Dursal sont à votre disposition. Mon ordonnance va vous guider. Nous vous tiendrons au courant...

— A bientôt !

Tandis que Denis se rendait à l'étage de l'hôpital de la base, les deux amiraux rédigeaient leur proclamation.

Cela dura une bonne vingtaine de minutes, puis Le Goff relut le texte définitif adressé aux chefs d'états-majors de l'armée de terre et de l'armée de l'air :

— Notre planète se trouve calcinée. La famine et les cancers ont tué nos familles. Personne n'a plus le courage d'élever des enfants. Actuellement, seuls quelques noyaux civilisés persistent, en particulier aux emplacements prévus comme abris en cas de guerre nucléaire. Les stocks alimentaires épuisés, nous mènerons une existence misérable en partageant les rares champignons cultivés et les quelques autres plantes qui subsistent, artificiellement car elles ne peuvent plus pousser à la surface du globe.

« Or, un savant de génie détient la solution à ces

160

problèmes : il peut réimplanter sur la Terre une faune et une flore dont s'occuperont des humains modifiés, fruits de l'ingénierie génétique.

« Roussel, ce biologiste, avait commencé ses travaux bien avant la catastrophe. Et qui avait refusé de lui fournir des subsides ? Vadier ! Qui, par la suite, a fait voter une loi interdisant toute modification du patrimoine génétique de l'*homo sapiens* ? Vadier ! Qui, malgré les demandes pressantes de ce scientifique, lui dénie encore à l'heure actuelle l'appui dont il aurait le plus grand besoin ? Toujours ce même Vadier, qui vous a aussi dissimulé les réalisations extraordinaires des biologistes de Sophia Antipolis.

« Chers camarades, si nous voulons que la France reprenne une place de premier rang dans le monde, il faut destituer cet incapable ! Soyez assurés qu'en Union soviétique, et sans doute aussi ailleurs, les dirigeants ont su comprendre que les ukases édictés naguère par certains comités d'éthique n'étaient plus de mise. Désormais, l'homme n'est plus adapté à sa planète et ne saurait qu'y végéter misérablement. Un être intelligent, son descendant, doit pouvoir le seconder sur terre, dans la mer et dans l'espace.

« Ici, l'amiral Poulgwen, l'amiral Le Goff et de nombreux autres officiers ont pris parti pour le professeur Roussel, sauveur de l'humanité. La flotte de Toulon et celle de Brest soutiendront à fond cette grande cause. Chers camarades, nous vous prions de vous joindre à nous pour déposer l'actuel président dont l'incompétence n'est que trop patente, et pour nommer un remplaçant susceptible d'appuyer de toutes ses forces ce savant méconnu, comme naguère Pasteur, qui mérite la reconnaissance de tous.

« Bien entendu, nous vous demandons la plus grande

161

discrétion et désirons avoir votre accord avant d'entamer toute action. Répondez sur le même canal, code R.671. »

— Parfait ! approuva Poulgwen. Ils sauront lire entre les lignes : nous ne menaçons pas, nous faisons juste savoir que la force de frappe de la marine est entre nos mains…

— Et nous suggérons que Roussel sera le mieux qualifié pour gérer ses découvertes.

— Et pour choisir un nouveau président ! Je fais envoyer immédiatement ce texte à Taverny.

Une ordonnance fut chargée du papier, puis les deux marins partirent inspecter la base et s'assurer que les submersibles se trouvaient bien en état d'alerte rouge, parés à toute éventualité.

Cependant, Denis et Myriam déballaient les quelques plants et les rares appareils emportés, tandis que les officiers du service de santé se mettaient en quatre pour fournir le matériel indispensable.

— Le problème sera de trouver un local pour les plantes, nota le pharmacien. Ici, nous sommes bouclés, impossible de voir le soleil. Il faudra les installer à côté du terrain de l'héliport. Là, il y a de la bonne terre. Devrons-nous prévoir des panneaux pour doser la lumière ?

— A Brest, le soleil brille moins souvent que dans le Midi. Quelques bâches suffiront donc, au début. Et puis nous essaierons d'implanter des espèces propres à la Bretagne, comme l'artichaut et le sarrasin, répondit Myriam.

— Nous avons pas mal de graines, déclara le vétérinaire. Seulement il faudra modifier leur code génétique. Combien de temps cela prendra-t-il ?

— Lorsque le code a déjà été étudié en détail, il suffit de quelques jours. Mais notre banque de données se

162

trouve à Sophia Antipolis, dans l'ordinateur central. Il va donc falloir appeler là-bas pour ne pas devoir tout reprendre de zéro.

— Etablissons une liste des priorités, suggéra le pharmacien.

— Bonne idée !

— Mais en attendant, pourrons-nous planter quelques graines afin d'avoir des légumes frais ?

— Certes ! A condition de disposer au-dessus des bâches spéciales, en plastique filtrant les U.V. J'en ai apporté quelques-unes, vous les mettrez en place dès la germination.

— Formidable ! Au lieu de nous morfondre en voyant nos stocks s'amenuiser, nous aurons enfin un travail motivant ! se réjouit Ladnet.

— Messieurs, je suis heureux de vous voir si bien disposés ! Grâce à vous, la Bretagne sera l'une des premières provinces françaises à reverdir.

— Il ne faudra pas oublier les algues : certaines espèces du plateau continental ont disparu, ce qui a entraîné la raréfaction de très nombreux poissons et coquillages, intervint le vétérinaire.

— Un jour, prédit Denis, des transgènes adaptés à la vie dans l'eau s'occuperont des fermes sous-marines comme les fermiers de leurs champs, et le rendement en sera décuplé.

— Espérons que cela se réalisera avant que nous ne soyons trop nombreux soupira Ladnet. Ainsi, la subsistance de tous sera assurée !

Lorsque Denis prit congé de Ladnet et Dursal, ils étaient aussi impatients de commencer le travail que des gosses à qui l'on vient de donner un nouveau joujou. Le biologiste passa le reste de la journée avec Myriam, car l'installation d'un nouveau labo posait toujours des problèmes. Enfin, après le dîner, il vit arriver Poulgwen et Le Goff l'air mi-figue, mi-raisin.

— Nous avons la réponse de nos collègues, annonça le premier. A la normande... Mais au moins, ce n'est pas une fin de non-recevoir. Ils désirent avoir confirmation de vos réalisations et obtenir des explications complémentaires de votre bouche... Rien à faire pour les en dissuader : l'enjeu est de trop grande importance.

— Je persiste à penser qu'il ne faut pas prendre ce risque, assura Le Goff. Votre personne est trop précieuse. Et puis ici, vos transgènes ne risquent rien.

— Peut-être, mais ils sont conçus pour vivre à l'air libre et relancer l'agriculture alors que nous travaillerons dans les usines, à l'abri des U.V. Les claustrer dans des abris serait la négation même de leur condition nouvelle... J'irai à Taverny !

— Nos camarades ont bien précisé que votre venue serait gardée secrète, souligna Poulgwen. Ils garantissent aussi votre retour sain et sauf. D'ailleurs, les risques seront faibles, puisque Vadier ignorera votre présence.

— En réalité, j'en doute, car il dispose sûrement d'un service de renseignements efficace, grimaça Denis. Mais tant pis, il faut convaincre vos collègues et je pense pouvoir le faire mieux que personne.

— Emmènerez-vous Paul et Virginie ?

— Certainement pas ! Des documents, des diapositives et des films, tant que vous voulez. Les enfants, eux, ne doivent courir aucun danger et surtout ne jamais être pris en otage !

— Très juste !... Là-bas, ils ont conservé le cycle nycthéméral normal. La nuit, la base est moins surveillée. Seriez-vous prêt à partir ce soir ?

— Pourquoi pas ? Je me reposerai un peu dans l'hélicoptère.

164

Myriam poussa les hauts cris lorsque Denis annonça qu'il se rendait seul à Taverny.

— Tu es complètement fou! Tu vas te jeter dans la gueule du loup! Ici, nous ne risquons absolument rien, et tu vas te livrer en otage pour qu'ils nous fassent chanter! Réfléchis un peu... Entre Toulon, Antibes et ici, nous avons déjà un travail écrasant, alors, pourquoi en vouloir toujours plus?

— Tu as raison si l'on considère les dix années à venir. Seulement avec nos recherches sur les hormones de croissance, les transgènes seront adultes plus vite que nous. Ils devront bientôt s'établir, comme nos ancêtres, dans des exploitations agricoles en plein air. Je ne veux pas qu'ils aient quoi que ce soit à redouter de Vadier. Et puis Duval m'accompagnera, il a de bons amis, là-bas, et veillera sur moi.

— Duval est un garçon de valeur, mais il ne fait pas le poids devant Vadier. Crois-moi, c'est un piège, ils espèrent te forcer à désavouer tes travaux!

— Plutôt mourir!

— C'est bien ce que je crains, espèce d'idiot! sanglota la jeune femme en se jetant dans les bras de son compagnon.

Au bout d'un quart d'heure, elle finit néanmoins par accepter son départ, à contrecœur, en lui faisant promettre de revenir dès qu'il aurait effectué son exposé devant les deux chefs d'état-major et leurs experts.

Denis partit enfin, soucieux mais déterminé.

Il fallut environ une heure pour atteindre Taverny. Le biologiste dormait à poings fermés lorsqu'on le réveilla; après le luxe de deux tasses d'un café préparé par Myriam à son intention, il se sentit à peu près d'attaque pour rencontrer les officiers.

165

Pendant l'approche du terrain, il aperçut le sol à la lumière des projecteurs : rien ne poussait. Vadier n'avait effectué aucun essai de mutation dirigée, du moins à proximité de l'abri. La situation alimentaire des habitants du P.C. devait donc être assez critique ; un argument à ne pas négliger.

Là, pas plus qu'à l'Elysée, il n'y avait eu d'inondations, aussi les installations n'avaient-elles pas été modifiées. On avait juste aménagé un vaste cimetière, dont les croix blanches apparaissaient nettement sous les faisceaux des projecteurs. Ce qui confirmait l'opinion du scientifique : la mortalité avait été très élevée. Il le fit remarquer à Duval qui opina :

— Oui, les stocks avaient beau être importants, l'arrivée du gouvernement et de sa suite a certainement accru démesurément les effectifs. Et le seul apport dont ils disposent consiste probablement en champignons.

— Nous atterrissons. Tiens, le comité de réception. Il semble discret.

— Tant mieux ! Moins il y aura de personnes au courant de notre venue, mieux cela vaudra ! Au fait, ne t'inquiète pas si je disparais pendant un moment. Je vais essayer de voir de vieux copains pour me tuyauter.

— D'accord ! Seulement ne te fais pas pincer...

Deux officiers seulement constituaient le comité de réception ; le plus important, un colonel, consulta une photographie à la lueur de sa lampe à dynamo manuelle puis se dirigea vers Denis.

— Professeur Roussel ?

— Lui-même...

— Veuillez me suivre.

Ils montèrent dans une jeep électrique, qui franchit l'épais portail blindé pour se retrouver dans un long tunnel parcimonieusement éclairé. Les sentinelles, aver-

166

ties, ne demandèrent aucun laissez-passer. Ensuite, le véhicule s'arrêta devant un ascenseur qui les mena, quatre étages plus bas, à une série de couloirs. Ils virent une pancarte : « P.C. opérationnel » mais passèrent tout droit, pour stopper en face d'une porte sur laquelle une plaque indiquait : « Général Manceau, chef d'état-major armée de terre. »

Le colonel appuya sur le bouton d'un interphone et annonça :

— Les visiteurs attendus, venus de la mer.

Aussitôt, la porte s'ouvrit sur une vaste pièce. Les arrivants remarquèrent immédiatement une longue table couverte de cartes, les écrans et les panneaux scintillants de lumières multicolores qui tapissaient les murs.

Le général, assis derrière un bureau, se leva. C'était un homme âgé, la soixantaine bien sonnée, sans la fougue de Poulgwen ou le dynamisme de Le Goff. Ses cheveux blancs, son visage buriné portant les cicatrices de récentes opérations confirmaient l'impression d'un soldat vieilli sous le harnais et au bout de ses forces. Assurément, il ne disputerait pas la présidence à l'amiral.

L'autre officier, en uniforme bleu de l'armée de l'air, semblait plus jeune. Pourtant, il grisonnait, et sa peau, d'une pâleur maladive, montrait que lui aussi avait des problèmes de santé. Mais ses yeux bleu acier reflétaient une volonté farouche alliée à une grande intelligence.

— Je suis le général Manceau, et voici mon collègue et ami Leguay, le chef de nos Rafale... du moins de ce qui en reste !

— Professeur Roussel. Enchanté de vous rencontrer. Voici le capitaine Duval.

— Ah, Duval, j'ai entendu parler de vous... (En fait,

167

son dossier avait été épluché à fond.) Bien noté, officier d'avenir ; vous aviez tout pour une prochaine promotion.

« Laquelle se trouve, bien sûr repoussée aux calendes grecques... » songea l'intéressé en saluant.

— Professeur, déclara alors Leguay, vos travaux sont admirables ! A ma grande honte, j'avoue n'en avoir pris connaissance que très récemment, car même pour nous, ils étaient classifiés top secret.

« J'ai l'impression que, sans lui, Manceau ne m'aurait jamais reçu... Il semble effectivement convaincu de l'intérêt du génie génétique, alors que le vieux... il va falloir le lui prouver », pensa Denis.

— Si vos réalisations dans le domaine de la biologie végétale sont bien ce qu'on nous en a dit, elles vous auraient naguère valu un prix Nobel. Grâce à vous, l'avenir de l'humanité paraît sauvé ! Par contre, vos transgènes humains, s'ils sont encore plus extraordinaires, semblent aussi plus discutables. Car si nous recommençons dès maintenant à planter et à récolter, nous survivrons sans problème.

— Vous avez effectivement mis le doigt sur un problème important, et comme mes transgènes semblent incompatibles avec une certaine éthique, je dois justifier leur existence. Considérons l'espèce humaine : son évolution a été de plus en plus modifiée artificiellement depuis un certain temps, soit à cause de sa propre action sur l'environnement, soit par son contrôle de sa reproduction.

— On a toujours noté une augmentation de la natalité après les guerres, rappela Manceau, ce n'est pas si récent.

— Certes. Mais juste avant la disparition de la couche d'ozone, l'humanité devenait indépendante de son envi-

168

ronnement: les astronautes emportaient leur écosystème avec eux, ainsi que les habitants des cités sous-marines.

A ce moment, un planton apporta un message au général, qui le remit à Denis. Sa lecture le fit blêmir. Il émanait de Brest et disait : « Votre compagne a disparu en explorant l'entrée d'une grotte où poussent des noisetiers. Malgré toutes les recherches, impossible de la retrouver. »

— Je dois vous quitter immédiatement, veuillez m'excuser !

— Je fais mettre un hélicoptère à votre disposition, déclara l'officier, interrompu par l'arrivée d'un second message, qu'il parcourut rapidement puis transmit au biologiste. « On a retrouvé votre amie évanouie dans la grotte. Elle avait été enlevée par deux troglodytes qui l'ont violée. Malheureusement, une fausse couche a suivi, avec hémorragie. Amenée à l'hôpital militaire, la patiente a été l'objet de soins intensifs et semble hors de danger. »

— Puis-je contacter Brest ?

— Bien sûr...

La voix rassurante de Denis apaisa un peu Myriam. Tranquillisé, il rejoignit ses hôtes, les informa de ce qui était arrivé, puis reprit son exposé.

— Je parlais des écosystèmes, je crois. Eh bien l'homme est le seul animal qui ait détruit sa niche écologique. Il est parvenu à ce beau résultat en dévastant les forêts et en perturbant les mécanismes de protection atmosphérique. Il peut encore réparer ses erreurs, mais dans les conditions actuelles, il en est incapable. Aussi doit-il être aidé par des transgènes adaptés aux nouvelles conditions régnant sur Terre. Pas question d'obtenir un bon rendement de paysans en combinaison protectrice,

ni de plongeurs en scaphandre, pas plus que de spationautes au métabolisme calcique perturbé.

— Je le reconnais, avoua Manceau.

— Nous partagerons donc la reconstruction: les
hommes « normaux » dans les usines, protégés des
U.V., les transgènes dans les champs et sous la mer, où
ils seront parfaitement à l'aise.

— Fichtre, grommela le général, ce n'est pas rien!
Vous pouvez prouver ce que vous avancez?

— En vous montrant des enfants jouant en plein
soleil et en vous expliquant les techniques qui l'ont
permis. Faites entrer vos experts et sortez les appareils
de projection.

Pendant ces préparatifs, Denis s'éclipsa discrètement.
Lorsque tout fut prêt, il revint, pour commenter les
clichés au fur et à mesure. Cela dura plus d'une heure...

Au bout de ce temps, Manceau dodelinait de la tête,
mais Leguay et les spécialistes écoutaient passionnément...

Le biologiste fila à nouveau ensuite, toujours pour
converser longuement avec Myriam, essayant de la
consoler de la perte des jumeaux et de lui faire oublier ce
cauchemar, qu'elle ressentait comme une souillure.

Enfin, les calmants agirent, et elle s'endormit.

Pâle de rage et de chagrin, il tenta de faire le calme
dans son esprit et rejoignit son public.

CHAPITRE X

Les photos de Paul et Virginie s'ébattant, nus, en plein soleil produisirent leur effet habituel. Les scientifiques discutèrent passionnément en prenant connaissance des documents remis par Denis, tandis que les généraux lui donnaient leurs impressions.

— Cher ami, déclara Manceau, je suis ravi que la santé de votre épouse soit meilleure. Espérons qu'elle récupérera vite ! Mais revenons à ces clichés étonnants : vous me garantissez leur authenticité ?

— Cela va de soi ! Et je vous invite à venir contempler les deux enfants à Brest, dès que vous le désirerez.

— Les transgènes humains sont étonnants, mais vos réalisations dans le domaine botanique ne le sont pas moins, constata Leguay. D'ailleurs, les deux vont ensemble, car sans flore, l'humanité serait condamnée.

— Hier encore, je ne trouvais pas indispensable de modifier notre espèce, nota Manceau. Je reconnais maintenant qu'avec des hommes adaptés à la vie en plein air et aux fonds marins, la reconstruction sera beaucoup plus rapide.

— Et l'humain, si vulnérable actuellement, reprendra possession de son domaine sans craindre une nouvelle catastrophe, souligna Denis. Femmes et enfants n'auront plus rien à redouter.

— Mon cher, je suis convaincu de la justesse de vos vues! assura l'aviateur.

— Je vous soutiens à cent pour cent! renchérit son collègue.

Un large sourire s'épanouit sur le visage du biologiste. Avait-il enfin gagné la partie?

— Reste à mettre au point la manière dont vous allez imposer vos vues au président...

— Je crains, hélas, qu'il ne soit absolument opposé à tout ce qui concerne les transgènes humains, soupira Denis.

— Ma foi, c'est aussi mon avis. Il est têtu, et lorsqu'il se bute, impossible de le faire revenir sur ses décisions, grogna Manceau.

— Alors, déposons-le, laissa tomber Leguay.

— Qui le remplacera? s'inquiéta son ami. Moi, je ne m'en ressens pas d'entreprendre pareille tâche!

— Poulgwen, suggéra Denis. Bien entendu, il vous confirmerait à vos postes et céderait le sien à Le Goff.

— Et comme Premier ministre? Il faut une personnalité parfaitement au courant des problèmes de biologie et d'écologie. Pourquoi pas vous, professeur?

— Oui, vous êtes l'homme qu'il nous faut!

— Eh bien, je ne me fais aucune illusion: ce sera un travail écrasant. Néanmoins, je pense pouvoir servir utilement mon pays, et c'est pourquoi j'accepte!

— Parfait! Avec vous, la France reprendra la place de premier rang qui lui revient! jubila Manceau.

Des applaudissements nourris éclatèrent: l'assistance, unanime, approuvait le nouveau responsable de la France.

Pendant ce temps, Duval avait fini par retrouver un ami d'enfance, le médecin principal Jussieu. Tous deux se donnèrent l'accolade, et le praticien demanda:

— Quel bon vent t'amène ? As-tu été transféré ici ? Je te croyais sur la Côte d'Azur !

— J'y étais, seulement j'ai rencontré un génie de la biologie. Figure-toi qu'il a créé des êtres humains pouvant vivre au soleil et des végétaux résistants...

— Quoi !

Le capitaine narra rapidement ses aventures et conclut :

— En ce moment, Roussel discute avec Manceau et Leguay. Tu crois qu'il a des chances de les convaincre ?

— Eux, oui, mais jamais Vadier ne les laissera faire ! Il reste attaché à l'intangibilité de la race humaine. Tiens, suis-moi, tu vas en avoir la preuve. Mais avant, passons à mon bureau : comme responsable du projet, je dois te faire un laissez-passer.

Cette formalité accomplie, le médecin emmena son ami à travers un méandre de couloirs vers des laboratoires situés au sommet des blockhaus de la base. Là, les deux hommes furent contrôlés par une sentinelle qui les laissa pénétrer dans le centre de recherche U.V.

Au fur et à mesure, Jussieu expliquait :

— Convaincu de la valeur des sciences traditionnelles, Vadier a ordonné à ses scientifiques de trouver le moyen de faire assimiler par l'homme des substances filtrant les U.V. — le bergaptène entre autres. Des prisonniers ont servi de sujets d'expérience. Regarde le résultat...

Dans un dortoir, des loques humaines étaient étendues nues sur leurs draps, le corps couvert de bandages ; certains des cobayes se trouvaient plongés dans des cuves contenant un liquide opalescent, d'autres recevaient des perfusions.

Tous semblaient abrutis par les calmants, mais plusieurs gémissaient dans leur sommeil.

— Voilà ce qu'il a obtenu! Cancers cutanés et brûlures au troisième degré. Je l'ai supplié de mettre un terme à ces horreurs. Elles sont inutiles, mais il s'obstine!

— Dément! Alors que les transgènes n'ont aucun problème...

— Je sais qu'il existe un autre laboratoire qui travaille sur les U.V., seulement c'est top secret, j'ignore ce qu'ils y font.

— Il faut mettre ce fou hors d'état de nuire! Elire un nouveau président, Poulgwen par exemple: il prendra Roussel comme Premier ministre.

— Tu peux compter sur moi: j'en arrive à me demander si je ne vais pas tourner dingue, à force de voir ces pauvres types que nous torturons. Ils savent que nous les tuons, et pour les exposer au soleil, nous devons les ligoter avec des sangles. L'autre jour, l'un d'eux a quand même réussi à se libérer: il s'est jeté sur un scalpel et s'est taillade les veines.

— J'en ai assez vu, redescendons. Si tu connais des gens sûrs, raconte-leur ce que je t'ai dit. Il nous faut une majorité pour renverser Vadier.

— Ne crains rien: à part quelques membres de sa clique, tout le monde en a marre de ce sadique!

Cinq étages plus bas, Denis, radieux, serrait les mains des officiers présents qui le congratulaient chaudement.

A cet instant, la porte donnant sur le couloir s'ouvrit, et une ordonnance parut.

— Messieurs, garde à vous: voici le président!

La foudre se serait abattue que les malheureux n'auraient pas été plus saisis! Blêmes, ils virent entrer Vadier, lequel arborait un grand sourire. Il était encadré de ses gardes du corps, mitraillette en mains.

Les poings sur les hanches, le vieux politicien s'écria :

— Alors, on vend la peau de l'ours avant de l'avoir tué ?

Denis jeta un coup d'œil vers l'entrée. Impossible de fuir : des soldats la gardaient.

— Vous me jugiez donc si stupide que vous complotiez derrière mon dos... Allons donc ! Vous vous conduisez comme des enfants... Il y a belle lurette que tous les locaux importants, laboratoires ou salles de réunion sont doués de micros ultra-sensibles ! Aussi m'a-t-il été permis d'écouter vos intéressantes conversations après avoir été averti de l'arrivée clandestine de ce génie méconnu lequel me fait l'honneur de me rendre visite, mais pénètre chez moi comme un voleur !

L'homme d'Etat jeta un regard triomphant sur l'assistance et poursuivit :

— Ce n'est vraiment pas aimable à vous de me prendre pour un incapable obstiné, monsieur le professeur ! Car mon objectif primordial est aussi la grandeur de notre pays. Or, après un certain nombre d'expériences malheureuses, je me suis rangé à l'avis du docteur Jussieu, et j'ai ordonné d'étudier vos publications. Suite aux rapports favorables qui m'ont été faits, des modifications du génome humain ont été effectuées selon les méthodes que vous préconisiez, et elles ont été couronnées de succès. Voici une semaine, des mères porteuses ont donné le jour à deux bébés, un garçon et une fille. Ils ont subi des séances d'insolation progressive qu'ils ont parfaitement supportées. Vous voyez, monsieur Roussel, le vieux Vadier n'est ni aussi têtu, ni aussi rancunier que vous le pensiez...

— Monsieur le président, je ne sais comment m'excuser. Si vos dires sont exacts et que vous acceptez de créer des transgènes, je ne puis que me mettre à votre disposition !

— Voilà qui est parler! Toutefois, d'après mes renseignements, vous avez aussi réussi à adapter bon nombre de végétaux aux conditions nouvelles! C'est tout à fait remarquable, car ici, nous en sommes réduits aux expédients!

— Ma femme, Myriam, qui est chargée du département de botanique, a obtenu des résultats prodigieux, qui permettront de réimplanter une flore sur notre planète.

— Alors, nous sommes sauvés: avec nos transgènes et vos plantes, la vie redeviendra normale.

— Monsieur le président, je vous présente à nouveau mes plus plates excuses. Si vous persistez dans cette voie, je me fais fort de mettre fin à vos ennuis...

— Mon cher professeur, seuls les imbéciles ne changent jamais d'avis. Avant le cataclysme, j'avoue avoir été profondément choqué par votre désir de toucher à un patrimoine que l'évolution et la volonté divine avaient mis des milliards d'années à élaborer.

— Alors, vous avez lu les publications que vous aviez fait saisir dès leur parution!

— C'est exact! J'avoue d'ailleurs que mes spécialistes ont eu quelque peine à s'y retrouver. Aussi nous sommes-nous limités à des spécimens destinés à vivre sur la terre ferme, sans nous soucier de créer des spationautes ou des rivaux des dauphins. Ce sera pour plus tard.

Denis était médusé... Quoi? Celui qu'on décrivait comme un être buté, incapable de revirement, acceptait en public de reconnaître ses erreurs! A moins que tout cela ne dissimule un piège, mais lequel? Vadier désarmait ses adversaires en leur ôtant le principal argument militant contre lui: son caractère borné et sa résignation devant un fléau divin. Mentait-il tout bonnement pour

176

gagner du temps ? Le biologiste, décidé à en avoir le cœur net, interrogea :

— Me sera-t-il permis de contempler vos transgènes ? Ce serait pour moi une grande joie !

— J'allais vous le proposer, ainsi qu'à vous, Manceau et Leguay. Cela vous ramènera peut-être à de meilleurs sentiments à mon égard et à plus de loyauté !

Les lèvres pincées, le ton acerbe montraient assez la rancœur du président à l'égard des deux militaires, mais quoi de plus naturel ?

Les quartiers des bébés transgènes s'élevaient au sommet de la colline, à l'extérieur. Il fallut donc sortir de la base pour s'y rendre. Des batteries de mitrailleuses et des missiles protégeaient l'éminence, une double enceinte de fils de fers barbelés électrifiés l'entourait. En haut de miradors protégés par des verres filtrants, des veilleurs montaient la garde.

Devant le chef de l'Etat, toutes les portes s'ouvrirent, et le petit cortège fut bientôt introduit dans une salle recouverte d'une vaste verrière que l'on pouvait obturer avec des panneaux mobiles.

Les berceaux où les nourrissons dormaient à poings fermés semblaient bien petits dans ce vaste solarium. Vadier avait sans doute prévu d'autres naissances. Denis s'approcha des poupons et les examina. Ils avaient le même aspect que les siens : des enfants de race blanche, mais à la peau d'un noir d'encre.

— Veuillez donner à monsieur le professeur toutes les explications utiles, ordonna Vadier à un médecin.

Celui-ci fit signe au visiteur de le suivre et de s'asseoir devant un écran vidéo. Des vues, accompagnées de commentaires oraux, commencèrent aussitôt à y défiler.

La démonstration achevée, Denis se leva.

— Aucun doute, monsieur le président, votre équipe

a fait du bon travail : ces bébés supportent le soleil aussi bien que les miens.

— Donc, vous voici convaincu de ma bonne foi ! Voyez-vous, je me suis rendu compte que seule l'aide de transgènes aptes à vivre au grand jour pouvait redonner sa vigueur à notre pays et même au monde entier. Monsieur Roussel, vous n'avez qu'à parler, vous disposez de mon appui total ! D'ailleurs, je voudrais vous remettre officiellement la croix de la Légion d'honneur.

Roussel balbutia quelques remerciements. Il ne moquait des décorations, mais une aide matérielle serait certes la bienvenue. Cependant, Vadier poursuivait :

— A vrai dire, ces naissances nous ont demandé d'énormes efforts. Certaines techniques ne sont pas parfaitement au point, ici, aussi vous demanderai-je quelques services...

— Lesquels ?

— Nous avions espéré obtenir six transgènes, mais deux des embryons n'ont pas survécu aux manipulations et deux mères porteuses ont fait des fausses couches. Nous aurions donc grand besoin de vos conseils. Accepteriez-vous de rester ici quelque temps ?

— Ma foi, je ne dis pas non. Mais il faudra que j'avertisse ma femme, qui se trouve à l'hôpital.

— Vous lui enverrez un message radio dès que vous le désirerez, en lui présentant mes vœux de prompt rétablissement.

— Merci. Que puis-je faire pour vous, autrement ?

Denis se méfiait un peu : ne voulait-on pas le retenir comme otage, sous couvert de belles paroles ?

— Il s'agit, bien entendu, de tout ce qui concerne la flore : nos échecs ont été cuisants dans ce domaine. A vrai dire, ce n'est pas très étonnant : en dehors des pharmaciens, personne ici n'a la moindre notion de botanique. Aussi vous demanderai-je d'abord quelques plants, ensuite de nous apprendre vos techniques.

— Pourquoi refuserais-je aux Parisiens ce que j'ai accordé aux Toulonnais et aux Brestois ? Est-ce tout ?

Le sourire faux de Vadier agaçait Denis : il lui trouvait vraiment l'air d'un chat qui joue avec une souris.

— Non, encore une faveur : mes techniciens auraient beaucoup à apprendre des vôtres ; accepteriez-vous d'en former un ou deux à Brest, à Toulon et à Antibes ?

— Bien sûr. Ils gagneront ainsi pas mal de temps, et le temps, c'est précisément ce qui nous manque : chaque jour, des graines meurent et des animaux disparaissent. Il faut tout faire pour récupérer le maximum d'espèces afin de reconstituer une écologie viable.

— Je ferai envoyer des hommes dans la campagne, pour ramasser toutes les graines et toutes les bestioles possible.

Le biologiste fouilla dans son porte-documents.

— Voici la liste, à peu près à jour, des espèces sauvegardées. Inutile de s'occuper de celles-là.

— Parfait, je la distribuerai à tous les intéressés. Maintenant, si vous le voulez bien, nous allons regagner la base. Vous m'excuserez de vous quitter, mais j'ai conservé l'habitude de dormir la nuit et je tombe de sommeil. Nous nous reverrons au déjeuner.

— Avec plaisir, monsieur le président !

Ils regardèrent les tunnels, où Denis nota que Duval avait rejoint le groupe. Lorsqu'ils se retrouvèrent aux étages d'habitation, le général Manceau proposa :

— Et si nous allions boire un pot dans ma carrée avant de nous coucher ?

Le clin d'œil complice qui accompagnait cette offre incita Denis à accepter, et Duval les suivit.

Une fois dans le bureau attenant à sa chambre à

179

coucher, leur hôte déboucha une bouteille de whisky, emplit quatre verres et annonça :

— Ici, nous pouvons parler sans crainte d'être espionnés : mes experts ont contrôlé ces deux pièces.

— Eh bien, Georges, as-tu découvert quelque chose ?

— Oui, et c'est assez répugnant...

Le capitaine raconta ce qu'il avait vu et conclut :

— Vadier a tout fait pour adapter les humains normaux aux U.V., mais il a échoué. Seulement d'après mon ami, il n'a pas renoncé et les expérimentations sur prisonniers se poursuivent. Jusqu'ici, pas un seul n'a survécu...

— Tu éclaires ma lanterne ! Je me demandais pourquoi ils avaient installé un aussi grand solarium ! Pardi, c'est pour tester les adultes...

— Curieux qu'il ne nous en ait pas parlé, nota Leguay. Mais après tout, cela n'a rien de suspect : il répugnait à utiliser votre technique et a essayé d'autres méthodes.

— Tout de même, pourquoi continuer puisqu'il a réussi à créer des transgènes viables ? objecta Denis.

— Ah, parce qu'il a quand même suivi tes directives ? Mon copain l'ignorait, intervint Duval.

— Comme nous tous dans la base, renchérit le général Manceau. Il sait faire taire les bavards, et je comprends maintenant comment ! Pauvres bougres...

— Evidemment, on ne voit pas pourquoi il s'obstine à martyriser ces malheureux tout en sachant que les transgènes résistent aux U.V. ! Pourtant, il paraît bien décidé à suivre mes avis.

— Trop heureux de le faire en ce qui concerne les végétaux, observa Leguay. Nous n'avions plus rien à manger, vous lui sauvez la mise !

— Néanmoins il accepte de jouer le jeu : il veut même

180

envoyer des spécialistes à nos bases pour qu'ils se familiarisent avec nos travaux.

— Curieux qu'il n'ait pas utilisé d'autres mères porteuses, fit Duval, toujours suspicieux.

— Il assure avoir eu des problèmes. Sans doute attendait-il que les médecins aient découvert ce qui cloche dans leur procédure.

— Peut-être. N'empêche que moi, je continue à me méfier..., s'entêta Duval. Ce type-là pue la traîtrise.

— Résumons-nous, car je désire aussi me reposer, décida Denis. Puis-je toujours compter sur votre appui total?

Les deux généraux se consultèrent du regard, et Manceau répondit:

— Tout à fait, car sans vous, point de salut! Et Vadier, ce faux jeton, n'a fait que piller vos publications après les avoir vouées aux gémonies. Toutefois, s'il se montre coopératif, il n'est plus nécessaire de le déposer dans l'immédiat. Nous pèserons juste de tout notre poids pour qu'il vous nomme Premier ministre. Vous seul pouvez élaborer une reconstruction cohérente!

— Je lui fournis donc ce qu'il demande?

— Nous en serons heureux!

— Et j'accepte de former ses techniciens?

— Cela semble logique: comme ceux de Brest et de Toulon.

— Entendu! Je vous remercie infiniment de votre accueil et de votre soutien. Nous nous reverrons pour déjeuner. Bonsoir, messieurs!

Duval et son ami allèrent se coucher, mais à vrai dire, tant d'idées tournaient dans leurs têtes qu'ils ne purent fermer l'œil. D'ailleurs, ils étaient plutôt accoutumés à dormir pendant le jour.

Lorsque tous se retrouvèrent pour un frugal petit déjeuner, le président déclara :

— Nous allons faire de l'excellent travail, mes amis ! Car au lieu de nous disputer, nous avons tiré un trait sur le passé et uni nos efforts pour la reconstruction. Donc, mon cher professeur, vous acceptez d'être mon Premier ministre ?

— Absolument...

— Je vous en remercie vivement. Dans un jour ou deux, quand tout sera prêt, nous annoncerons la grande nouvelle à la France entière. J'espère que cela ne perturbera pas trop vos projets ?

— Nullement : il y a des choses intéressantes pour moi ici. Vos chercheurs ne connaissaient pas toutes mes techniques et ils ont donc dû se débrouiller autrement. Ce qui va leur permettre de m'instruire.

— Ne me dites pas qu'ils vous ont surpassé, je ne le croirais pas...

— Chacun apporte sa pierre à l'édifice, et elles ont toutes autant d'importance. Enfin, quoi qu'il en soit, nous ferons certainement du bon travail ensemble !

— J'en suis ravi ! J'ai ordonné de mettre tous nos laboratoires et tous nos moyens à votre disposition. Par quoi commencerez-vous ?

— Il faudrait qu'un hélicoptère se rende à Brest, pour prévenir ma collaboratrice et lui annoncer l'arrivée de deux nouveaux bébés. Elle n'en reviendra pas !

— Pourrai-je y aller ? intervint Duval.

— Bien sûr. Comme ça tu la rassureras en lui expliquant notre accord.

— Et vous, messieurs ? demanda Vadier aux deux chefs d'état-major. Voulez-vous toujours me déposer ou bien acceptez-vous cette collaboration ?

Conformément à ce qui avait été décidé au cours de la réunion secrète de la nuit, Manceau répondit :

182

— Nous reconnaissons notre erreur, monsieur le président : vos réalisations prouvent votre souci de redonner à la France sa grandeur passée. Nous conserverons donc nos postes, si vous le voulez bien...

— Avouez que mes prédécesseurs en ont limogés pour beaucoup moins que ça !

— Votre perspicacité s'allie à la magnanimité, nous l'admettons volontiers, assura Leguay.

— Allons, voici une affaire réglée ! Revenons maintenant à nos projets. Où sont vos transgènes, professeur ?

— A Brest, avec ma femme : je n'ai pas voulu leur faire courir de risque.

— Rien à Antibes ?

— Si, des mères porteuses.

Il passa volontairement Toulon sous silence.

— Au total, combien espérez-vous de naissances cette année ?

— Une trentaine. Et l'an prochain, près de mille.

— Tant que cela !

— Certes : maintenant que nous sommes assurés de la viabilité des transgènes, il est possible d'appliquer aux embryons les techniques de polygemellité : chaque femme aura plusieurs bébés.

— La repopulation de la France s'effectuera donc beaucoup plus rapidement que je ne l'espérais.

— Nous pensons accélérer encore le processus par l'emploi d'hormones de croissance. Au lieu d'attendre quinze ans pour devenir actifs, les transgènes atteindront l'âge adulte à dix ans.

— Décidément, vous êtes un génie ! Je vais d'émerveillement en émerveillement ! Et en ce qui concerne la flore, êtes-vous aussi optimiste ?

— Les graminées donnent beaucoup plus de cinq graines par an, ce qui fait que dès cette année, nous pourrons avoir quelques champs. Bien sûr, il faudra s'en occuper de nuit, cela suffira dans l'immédiat. Dans dix ans, les transgènes prendront la relève, et les progrès seront foudroyants.

A ce moment, Denis nota que l'ami de Duval entraînait le gendarme part à part et lui parlait à l'oreille.

Cependant, le président poursuivait :

— Grâce à votre générosité, nous disposons de quelques graines et plants nouveaux. Mais c'est loin d'être assez : puis-je vous demander de nous en procurer rapidement d'autres ?

— Bien sûr. Vous n'avez qu'à envoyer des hélicoptères à Antibes et à Marseille, où est resté le train. Mes assistants remettront aux porteurs d'une autorisation signée de ma main un certain nombre d'espèces nouvelles. De votre côté, vous serez aimable de leur faire remettre les spécimens dont vous disposez, qu'ils puissent les modifier.

— Cela ne pose aucun problème. Et pour les techniciens ?

— J'ai prévu le nécessaire. En outre, le détail de nos travaux figure sur microfilms et disquettes à Sophia Antipolis.

Maintenant, c'était Duval qui chuchotait à l'adresse de Manceau et Leguay. Les deux généraux quittèrent précipitamment la salle.

Vadier, tout à la conversation n'y prit pas garde et continua :

— Donc, d'après vous, mes spécialistes n'auront aucun mal à s'y mettre ? Vous êtes sûr qu'ils pourront adapter les plantes ?

— Les membres de votre service de santé y arriveront facilement ! Le seul problème, c'est l'ordinateur : il faut qu'il soit assez puissant pour décoder une spirale

184

d'A.D.N. Je ne sais pas ce que vous avez ici, mais celui de Sophia Antipolis marche à merveille.

— Et nos informaticiens sauront l'utiliser?

— Cela va de soi. Mais pourquoi tant de questions? Vous savez que ma collaboration et celle de tous mes amis vous est acquise, du moment que j'occupe le poste de Premier ministre...

Un brouhaha retentit alors dans le couloir, et tous les assistants, surpris, se tournèrent vers la porte. Une vingtaine de soldats armés jusqu'aux dents firent irruption; à leur tête, Manceau et Duval.

— Ne te fatigue pas pour ce salaud!

— Comment? protesta Vadier. Je ne vous permets pas!

Il jeta autour de lui des regards furibonds, mais, constatant que sa garde avait été désarmée, n'en dit pas plus.

— Eh oui! reprit le capitaine. Tu sais ce qu'il allait faire? Liquider tout le monde à Toulon, Brest et Antibes!

Cette fois, ce fut le tour de Roussel de s'étonner:

— Quoi? Il voulait les bombarder?

— Oh, non! Trop malin pour ça! Il comptait bien récupérer ton matériel et tes ordinateurs! Demande-lui donc pourquoi ses envoyés emportaient ces babioles dans le talon de leurs chaussures!

Duval brandissait de minuscules cylindres évoquant des recharges de stylos à billes.

A leur vue, Vadier voulu fuir, mais Manceau le rattrapa solidement par le col de sa veste.

— Alors, *monsieur le président*? De quoi s'agit-il?

— Je... je ne suis pas... pas au courant. Ils ont agi sans mon autorisation.

— Bein voyons! (Duval déploya un minuscule

cylindre de papier bible). Et là, sous ces instructions, ce n'est pas votre signature, peut-être? Heureusement pour nous, un des meilleurs amis de Jussieu a été désigné pour cette mission. Il a donc reçu ses deux petits paquets, avec bien sûr interdiction formelle de les ouvrir avant le départ. Seulement, il est curieux... Tenez, je vous lis les ordres de notre cher président: *Dès votre arrivée dans les bases rebelles de Brest, Toulon et Antibes, vous introduirez ce virus dans le système de conditionnement d'air. Son action est extrêmement rapide, mais ne craignez rien: vous êtes vaccinés. Aussitôt les renégats morts, vous vous emparez des disquettes et de tout document concernant leurs expériences. Ceux qui concernent les transgènes seront immédiatement détruits. De même, veillez tout particulièrement à ce que ces monstres et les mères porteuses soient éliminés. Au besoin, dès réception du mot de code* Alléluia *des commandos parachutés viendront vous renforcer.* Alors, crapule, qu'en dis-tu?

Un tumulte indigné s'ensuivit. La réprobation — et même plus — était unanime. Vadier, au début, courba l'échine sous l'orage, puis il reprit sa morgue habituelle:

— Non seulement j'avoue avoir signé ce texte, mais j'en suis fier! Oui, je refuse de laisser prostituer la créature parfaite élaborée par la Divinité et qui doit demeurer intangible! Je vous maudis tous... Si cette démoniaque engeance se répand sur Terre, alors Dieu saura la détruire elle et sa descendance, comme naguère il a anéanti les abjectes Sodome et Gomorrhe! Souvenez-vous de mes paroles: un jour, vous regretterez amèrement d'avoir désobéi aux lois divines...

Il se tut et redressa la tête, fixant Denis avec des yeux pleins de haine.

— Qu'on l'emmène! ordonna celui-ci. Eh bien,

Georges, on peut dire que tu nous as sauvés de justesse ! Quand je pense que j'allais rédiger des ordres pour qu'on remette tous nos secrets aux agents de ce fou !

— La base est entièrement sous notre contrôle ! annonça Leguay, qui arrivait tout essoufflé. Il n'y a pratiquement pas eu de résistance.

— Que ceci nous serve de leçon ! tonna Manceau. Destituons immédiatement Vadier et nommons Poulgwen à sa place !

Des acclamations approuvèrent cette proposition.

— Le professeur Roussel remplacera le Premier ministre !

Les ovations devinrent assourdissantes, et Denis dut demander le silence.

— Je vous remercie de votre confiance ! Je vous assure que je ferai de mon mieux pour m'en montrer digne. Ma première décision est que les expériences menées sur les prisonniers des laboratoires extérieurs soient arrêtées immédiatement ! Il faut prodiguer des soins à ces malheureux qui ont été victimes de l'obstination morbide de Vadier...

Une ère s'achevait... Denis disposait maintenant des pouvoirs nécessaires pour faire revivre la Terre.

Mais la tâche s'avérait immense : la mènerait-il à bien ? Les transgènes deviendraient-ils des citoyens à part entière ?

Quand refleurirait la planète bleue ?

Achevé d'imprimer en avril 1990
sur les presses de Cox and Wyman
à Reading (Berkshire).

Dépôt légal : mai 1990
Imprimé en Angleterre